# Le vrai monde ?

MICHEL TREMBLAY

# Le vrai monde?

LEMÉAC

Photographie de la couverture : Les Paparazzi, 1992

*Leméac Éditeur remercie le ministère du Patrimoine canadien, le Conseil des arts du Canada, la Société de développement des entreprises culturelles du Québec (SODEC) et le Programme de crédit d'impôt pour l'édition de livres du Québec (Gestion SODEC) du soutien accordé à son programme de publication.*

ISBN 978-2-7609-0160-5

© Copyright Ottawa 1989 par Leméac Éditeur
4609, rue d'Iberville, 3ᵉ étage, Montréal (Québec) H2H 2L9
Dépôt légal — Bibliothèque et Archives nationales du Québec, 1989

*Imprimé au Canada*

# CRÉATION ET DISTRIBUTION

Cette pièce a été créée en coproduction le 2 avril 1987 à Ottawa, au Théâtre français du Centre national des Arts, et à Montréal, le 15 avril 1987, au Théâtre du Rideau-Vert. La mise en scène était d'André Brassard, assisté de Lou Fortier. Les décors étaient de Martin Ferland, les costumes de François Barbeau, les éclairages de Claude Accolas. La directrice de production était Mercedes Palomino.

Par ordre d'entrée en scène, la distribution était la suivante :

| | |
|---|---|
| Madeleine I . . . . . . . . | Rita Lafontaine |
| Madeleine II . . . . . . . . | Angèle Coutu |
| Claude . . . . . . . . . . . | Patrice Coquereau |
| Alex I . . . . . . . . . . . . | Gilles Renaud |
| Alex II . . . . . . . . . . . . | Raymond Bouchard |
| Mariette I . . . . . . . . . | Sylvie Ferlatte |
| Mariette II . . . . . . . . . | Julie Vincent |

## PERSONNAGES

Claude, 23 ans

Madeleine I, 45 ans

Madeleine II, 45 ans

Alex I, 45 ans

Alex II, 45 ans

Mariette I, 25 ans

Mariette II, 25 ans

*Les personnages de la pièce de Claude sont habillés exactement comme ceux de la réalité avec, toutefois, quelque chose de transposé qui en fait presque des caricatures.*

## DÉCOR

Le salon d'un appartement du Plateau-Mont-Royal, été 1965.

# LE VRAI MONDE?

*Le salon est vide.*
*On entend le troisième mouvement de la cin-*
*quième symphonie de Mendelsohn.*
*Entre Madeleine II, qui semble inquiète.*
*Elle va à la fenêtre, tire le rideau, regarde dehors.*
*Elle retraverse le salon et sort.*
*On entend une chanson populaire de 1965.*

*Entrent Claude et Alex I. Claude tient une ser-*
*viette de cuir, son père une petite valise.*

### CLAUDE

T'es-tu promené dans des routes de terre
tout ce temps-là? J'ai jamais vu un char aussi sale
de ma vie...

### ALEX I

Ça, c'est pas vrai, par exemple... Quand
t'étais petit, mon char était toujours sale de
même... Les routes en asphalte étaient rares dans
les années quarante... Mais t'as jamais remarqué
ça, ces affaires-là, toé, c'est vrai... T'avais toujours
le nez plongé dans tes livres, tu pouvais pas
savoir de quoi mon char avait l'air...

*Entre Madeleine I qui arrive de la cuisine. Elle
est habillée comme Madeleine II mais en plus
simple, en plus «réaliste».*

11

## MADELEINE I
T'es déjà là, Alex? J't'attendais juste demain...
(*Elle est visiblement mal à l'aise; froidement:*)
Bonjour, Claude...

## CLAUDE
Bonjour...

*Il embrasse sa mère, maladroitement.*

## ALEX I
J'te dis que t'as pas l'air trop excitée de me voir... On n'embrasse pas son petit mari qu'on n'a pas vu depuis une grosse semaine? Claude, lui, tu le vois quasiment tou'es jours... tu t'occuperas de lui plus tard...

*Il la soulève de terre, lui donne un gros bec sur la joue.*

## MADELEINE I
Alex, franchement...

## ALEX I
Ça sent bon... J'veux dire... tu sens bon, toi, pis ça sent bon dans la maison...

## MADELEINE I
On continue à vivre même quand t'es pas là, hein?

*Elle sort.*

## ALEX I
Y'est-tu arrivé quequ'chose pendant que j'étais pas là?

### CLAUDE

J'sais pas... J'pense pas... De toute façon, chus pas venu depuis une bonne semaine moi non plus... J'ai pas toujours le nez fourré ici, t'sais...

### ALEX I

C'tait pas comme ça quand t'es déménagé... Tu prenais quasiment tous tes repas avec ta mère...

### CLAUDE

Ça fait deux ans...

### ALEX I

Déjà! Deux ans! T'es sûr?

### CLAUDE

J'ai eu le temps d'apprende à me faire cuire un steak, depuis ce temps-là... pis de faire réchauffer les p'tits pois qui vont avec...

*Silence.*

### ALEX I

Pis, ta nouvelle job, t'es content?

### CLAUDE

C'est correct.

### ALEX I

C'est tout c'que t'as à en dire?

### CLAUDE

Écoute, popa, j'pratique un des métiers les plus plates au monde, c'est pas juste de changer de place qui va arranger les choses...

**ALEX I**

Si tu m'avais écouté, aussi...

**CLAUDE**

Ah! aïe, on recommencera pas ça, s'il vous plaît... On a eu c'te conversation-là deux cents fois pis ça a jamais rien donné... Ça m'intéressait pas de me promener dans les campagnes à l'année longue pour vendre des assurances en contrefaisant la bonne humeur pis la joie de vivre... Surtout pas sous la protection de mon célèbre popa... Aïe, nous vois-tu, tous les deux, voyager ensemble? On se serait tués au bout de deux semaines!

**ALEX I**

T'aurais fini par voler de tes propres ailes! Tu te serais bâti une clientèle, comme moi!

**CLAUDE**

Ah! papa, s'il vous plaît, tu me donnes la chair de poule!

**ALEX I**

Ben laisse-moé te dire encore une fois que ç'aurait été ben moins plate que de t'atteler pour le reste de tes jours à une machine que t'haïs... Pis t'aurais vu du pays! Au moins, j'me sus promené au grand air toute ma vie, moé! Pis j'ai ri! J'ai passé à travers la vie en ayant du fun, pas en me faisant chier huit heures par jour dans un atelier qui pue l'imprimerie!

**CLAUDE**

J'resterai pas attelé à c'te machine-là ben ben longtemps...

### ALEX I

Encore tes rêves d'écrivain! Tu fais de l'argent mais t'es t'attelé à une machine que t'aimes pas... pis tu rêves de crever de faim dans un métier qui te fera jamais vivre... J'te comprendrai jamais...

### CLAUDE

Ça fait longtemps qu'on sait ça...

*Alex I regarde son fils pendant quelques secondes. On sent l'agressivité monter.*

### ALEX I

Tu te promènes toujours avec ta petite serviette d'intellectuel pour aller travailler? Que c'est que tu mets, dedans? Ton lunch? (*Claude baisse les yeux.*) Ton lunch pis tes manuscrits... Quand est-ce qu'on va avoir droit à ça, la grande révélation? Hein? Dans la semaine des trois jeudis? En tout cas, si c'est de la poésie, garde-la pour toi... J'ai assez d'entendre les maudits gratteux de guitares dans tou'es hôtels d'la province oùsque j'passe... Que c'est qu'y vous prend toutes de vous mettre à gratter de la guitare de même, donc, tout d'un coup? Une vraie maladie contagieuse! J'ai justement été en voir un, samedi soir, à Saint-Jérôme. Jésus-Christ... Même Felix Leclerc est moins plate que ça, j'pense...

### CLAUDE

Fais-toi-s'en pas pour moi... C'que j'écris a rien à voir avec le grattage de guitare...

### ALEX I

Ben tant mieux... ça me rassure... un peu! (*Il*

*rit.*) J'pense que j'te connais assez, Claude, pour savoir d'avance que c'que t'écris m'excitera pas ben ben le poil des jambes...

### CLAUDE

Ben demande-toi pas pourquoi j'te le montre pas, d'abord...

*Madeleine I revient avec un manuscrit serré contre elle. Claude se détourne un peu.*

### ALEX I

Un rôti de veau? Un poulet?

### MADELEINE I

Un rôti de veau. (*Ironique:*) Claude aime tellement ça...

### ALEX I

Ça me fait penser... Vous irez fouiller dans le coffre du char... j'ai une belle poche de blé-d'Inde... Le premier de l'année... Y'est beau, y'est jeune, y'est blanc... Exactement comme moi!

*Madeleine I lève les yeux au ciel.*

### MADELEINE I

Tu sais c'qu'on en pense, de tes farces de vendeurs d'assurances, hein...

### ALEX I

C'est mes farces de vendeurs d'assurances qui ont payé pour ton rôti de veau, Madeleine! (*Madeleine I et Claude se regardent.*) Bon, ben, j'pense que j'vas aller prendre un bon bain... J'ai l'impression de sentir le travail d'équipe... (*Il rit.*) Ennuyez-vous pas trop de moé...

*Il sort.*
*Silence.*
*Madeleine I dépose le manuscrit sur la table à café.*

### CLAUDE

Tu l'as lu?

### MADELEINE I

Oui. (*Silence.*) Comment t'as pu faire une chose pareille...? J'ai eu tellement honte en lisant ça, Claude... J'me sus sentie tellement... laide.

### CLAUDE

Laide?

### MADELEINE I

(*brusquement*)

C'est pas moi, ça! C'est pas comme ça que chus! C'te femme-là, même si a'porte mon nom, a'me ressemble pas! J'veux pas! Comment as-tu osé y donner mon nom, Claude!

### CLAUDE

Mais moman, c't'un personnage de théâtre... Y'est pas dit nulle part que c'est exactement toi...

### MADELEINE I

Claude! Viens pas me rire en pleine face par-dessus le marché! Tu décris notre salon dans ses moindres détails! Les meubles, les draperies, le tapis usé devant la porte, la télévision Admiral... Ça se passe ici, dans notre maison, comment tu veux que j'pense pas que t'as voulu nous décrire nous autres dans les personnages! J'ai reconnu ma robe, Claude, j'ai reconnu ma coiffure mais j'me sus pas reconnue, moi!

*On entend le début du troisième mouvement de
la cinquième symphonie de Mendelsohn.
Entre Madeleine II qui semble inquiète.
Elle est habillée comme Madeleine I.
Madeleine I prend le manuscrit dans ses mains.*

### MADELEINE I
C'est pas moi, c'q'y'a là-dedans!

*Madeleine II va à la fenêtre, tire le rideau,
regarde dehors.*

### MADELEINE I
C'est pas moi!

*Madeleine II retraverse le salon en silence, sort.*

### MADELEINE I
Pis c'est même pas de la musique que
j'écoute! La musique que t'as mis là-dedans, j'la
connais pas! Pis j'veux pas la connaître! La
musique que j'écoute, moi, c'est de la musique
simple, facile à retenir pis que j'peux chanter
pendant que je l'écoute! T'entends c'qui joue à
la radio dans la cuisine, là? Ben c'est ça que
j'aime! Pas ton... ton Mendelsohn que t'as sorti
de j'sais pas où... de tes propres goûts, probablement... Avais-tu honte de mettre ça dans ta
pièce? J'comprends pas c'que t'as voulu faire!
Tu nous as enlaidis, nous autres, mais tu nous
fais écouter d'la musique que toi tu trouves plus
belle, plus savante que celle qu'on écoute! Tu
ris de nous autres, là-dedans, Claude, le sais-tu?

### CLAUDE
Ben non. J'ris pas de vous autres. Viens t'asseoir à côté de moi. J'vas essayer de t'expliquer...

### MADELEINE I

C'est pas des explications que je veux, y'est trop tard pour les explications, le mal est faite! Tu m'as faite tellement mal, si tu savais... (*Silence.*) Comment peux-tu penser... que j'ai déjà pensé des choses pareilles, que j'ai déjà dit des choses aussi... monstrueuses à ton père!

### CLAUDE

J'le sais que tu les as jamais dites, ces choses-là... C'est pour ça que j'les ai écrites, justement. Moman, y'a des choses ici-dedans qui auraient dû être réglées depuis longtemp pis qui traînent encore...

### MADELEINE I

C'est pas à toi à décider de ce qui devrait être réglé ou non entre ton père pis moi...

*Entre Alex II avec un énorme bouquet de fleurs.*

### ALEX II
Madeleine! Madeleine, es-tu là?

### CLAUDE

J'voulais pas les régler... J'voulais pas les régler mais j'voulais que ces choses-là soient dites une fois pour toutes.

*Madeleine II revient, les bras croisés sur la poitrine, comme le fait toujours la vraie.*

### MADELEINE II

J't'attends depuis deux jours pis c'est pas des fleurs qui vont régler la situation.

19

## ALEX II

Bon, que c'est qu'y'a, encore... Tu le savais que j'allais loin...

*Madeleine II le regarde droit dans les yeux.*

## MADELEINE II

Je le sais, Alex, oùsque t'as été, justement...

## ALEX II

Que c'est que ça veut dire, ça? J't'ai dit que c'te fois-là j'pousserais probablement jusqu'à Sept-Îles... Sept-Îles, Madeleine, c'est pas à'porte!

## MADELEINE II

Non, mais Sorel, c'est juste à côté, par exemple... (*Alex II est décontenancé. Silence.*) Sept-Îles! Ça fait longtemps que je sais que tu couvres pas toute la province de Québec à toi tout seul, t'sais. Au commencement... Au commencement, quand j'étais jeune, j'te croyais, j'pensais que tu voyageais partout, que t'étais tout seul à faire ça... J'ai même eu la naïveté de penser que ta compagnie dépendait quasiment juste de toi... Tu te donnais tellement d'importance quand tu parlais de ta job que j'avais fini par croire que si tu disparaissais ta compagnie tomberait en faillite... J't'aimais tellement...

## ALEX II

Pourquoi tu dis ça au passé? Tu m'aimes pus? J't'aime encore, moi...

*Elle le regarde quelques secondes avant de répondre.*

## MADELEINE II

Des fois, pour me rendre au bout d'une journée, j'me dis que tu dois m'aimer à ta façon, effectivement.

## ALEX II

Madeleine, que c'est qu'y'a, tu m'inquiètes, là... J'te trouvais distante, depuis quequ'temps, mais j'me disais que c'était une passade, que ça finirait par passer...

## MADELEINE II

J'ai pas le goût, Alex, d'avoir une explication avec toi, si tu savais... Mais... Chus tannée de passer pour une dinde... C'est rendu que j'me prends moi-même pour une dinde, Alex, pis ça, j'peux pas...

## ALEX II

Une explication... au sujet de quoi...?

## MADELEINE II

De tout! Des mensonges, des tromperies, de c't'enfirouapage-là qui était ta grande spécialité pis que j'étais la seule à pas voir... J't'ai cru pendant tellement longtemps, pis j'étais tellement contente de te croire...

## ALEX II

Tu commenceras pas toi aussi à me reprocher de toujours être de bonne humeur, sacrament! Y'a assez des enfants qui me craquent là-dessus! C'est vrai que chus un enfirouapeux, c'est vrai que j'veux que le monde m'aime pis que je fais toute pour mais ça fait pas de moé un chien sale!

## MADELEINE II

C'est pas du monde en général que je veux parler, Alex... Le monde en général, tu peux ben faire c'que tu veux avec, c'est ton métier. C'est ta job de les séduire avec tes farces plates pis tes histoires cochonnes pour leur faire signer leur nom dans le bas d'un contrat qui va probablement les fourrer.

## ALEX II

C'est comme ça que tu vois mon métier...

## MADELEINE II

C'est comme ça que t'en parles... Tu t'es jamais écouté, hein? T'as jamais pris la peine de t'arrêter pour penser aux niaiseries que tu peux sortir dans une journée? C'est correct, des farces, Alex, pis même des histoires cochonnes, des fois, mais pas à l'année longue! Au début de notre mariage, j'me disais, bon, c'est correct, y veut me faire rire, ça va y passer... jusqu'à ce que j'me rende compte que t'étais toujours comme ça pis que tu serais probablement toujours comme ça... J't'aimais trop pour m'avouer que ça me tombait sur les nerfs... J'voulais trop t'aimer, plutôt... J'étais la seule dans'famille à avoir trouvé queque'chose qui ressemblait à de l'amour pis j'ai toute faite, toute, pour pas le perdre... même rester aveugle sur tout c'que tu faisais...

## ALEX II

Mais que c'est que j'ai tant faite? J'ai travaillé toute ma vie comme un cochon pour vous faire vivre, toé pis 'es enfants... Vous avez jamais eu à vous plaindre de moé, jamais, personne! J'étais souvent parti en voyage, c'est vrai, mais quand j'revenais on avait du fun dans'maison! On a ri pendant des années, ici-dedans, Madeleine, au lieu de se s'entre-tuer comme y faisaient toutes dans ta famille, pis tu viens te plaindre! C'est-tu de famille de vouloir absolument souffrir, 'coudonc? Aurais-tu aimé mieux que j'vous batte quand y m'arrivait de rentrer un peu pompette? Comme ton beau-frère? Quand les enfants étaient petits, leurs amis rêvaient de m'avoir pour père, Madeleine, parce que j'étais comme un Père Noël avec Mariette pis Claude! Aurais-tu mieux aimé que je sois comme le Bonhomme Sept-Heures, avec eux autres, pis qu'y se sauvent de moé quand j'arrivais? Ces enfants-là étaient couverts de cadeaux au lieu d'être couverts de bleus! J'arrivais icitte comme un rayon de soleil pis la rue au complet était contente de me voir, sacrament! Tout le monde vous enviait, viens pas me dire que ça t'a rendue malheureuse!

### MADELEINE II

Je le sais, Alex, que t'es capable de répondre à toutes mes arguments... C'est pour ça que j'ai toujours évité les explications... T'es un beau parleur, t'as gagné ta vie pis la nôtre avec ça, tu sais comment virer une conversation à ton avantage... On est démuni, désarmé devant toi... On te laisse gagner parce qu'on sait que même si on discute pendant des heures tu vas finir par nous avoir avec une entourloupette ou ben donc avec une farce... Tu vois, t'as déjà détourné la conversation. J'avais décidé d'essayer de te parler simplement, de te dire simplement que je sais tout ce que tu m'as faite, pis tu m'as déjà toute mélangée... J'aurais envie de retourner dans ma cuisine finir mon souper, me faire accroire que je sais rien, pis redevenir ignorante pis heureuse! C'est sûr que j'étais mieux quand j'savais rien, quand mon univers finissait sur le pas de la porte pis que les seuls problèmes que j'avais, c'était de savoir que les enfants mangeraient bien, qu'y seraient proprement habillés, pis que tu nous trouverais à ton goût quand tu reviendrais... C'est sûr... Quand on sait rien, on peut pas avoir de mal... R'garde la porte... mon monde s'arrêtait là, Alex, pis j'étais parfaitement heureuse! Parfaitement heureuse! Pendant... vingt ans, peut-être. Quand t'étais pus dans mon champ de vision, tu disparaissais dans les airs, t'arrêtais quasiment d'exister, tu devenais... je le sais pas... le Prince Charmant en tournée de promotion... J'savais que tu t'en allais faire le clown pour nous faire vivre mais j't'avais jamais vu faire, ça fait que je pouvais imaginer c'que je voulais... T'étais un homme important pour moi... pis j't'admirais! (*Elle va s'asseoir sur le sofa juste à côté de Madeleine I.*) J'me retrouve au milieu d'une scène que j'avais pas prévue pis j'sais pas comment continuer.

### MADELEINE I

T'as jamais pensé, Claude, que j'étais ben que trop orgueilleuse pour avouer des choses comme ça... J'mourrais avant de dire ces choses-là à ton père!

### ALEX II

Moi aussi j't'ai toujours admirée... (*Madeleine II se redresse sur le sofa.*) Non, non, laisse-moi continuer...

## MADELEINE II

Non, Alex, non... je le sais c'que tu vas dire pis j'veux pas tomber dans le piège... J'aime mieux t'empêcher de me parler que de me laisser avoir encore une fois...

## ALEX II

J'ai pus le droit de parler dans ma propre maison? C'est ça? T'as trop peur d'avoir tort, ça fait que tu vas m'empêcher de m'exprimer! Pour une fois que chus sur le bord de te faire des compliments, des vrais, des sentis, tu vas te boucher les oreilles!

## MADELEINE II

J'en veux pas de ton admiration, Alex! C'est une admiration méprisante! Tu m'admires comme une statue dans une niche, comme une boîte de soupe Campbell qui est ben commode quand on a faim tout d'un coup vers onze heures du soir! Tu m'admires pas, t'apprécies le fait que j'aie toujours été là, à ton service, quand tu revenais, c'est toute! C'te maison-là a toujours été une gare pour toi! Tu revenais ici en attendant de repartir! C'tait commode en maudit, hein? Au milieu de tes aventures de voyageur de commerce tu pouvais toujours te dire qu'y'avait trois niaiseux qui t'attendaient patiemment, qui gardaient ton repas chaud, ton lit propre pis tes pantoufles en dessous de ton fauteuil!

## ALEX II

J'te reconnais pus...

## MADELEINE II

J'espère, que tu me reconnais pus! Pis

laisse-moi te dire que ça va prendre un maudit bout de temps avant que tu me reconnaisses!

### ALEX II

Écoute... Essayons de parler calmement... J'arrive icitte de bonne foi, avec un bouquet de fleurs qui m'a coûté les yeux de la tête... Ça fait plus d'une semaine qu'on s'est pas vus... J'ai hâte d'arriver... J'rentre, pis j'trouve une autre femme!

### MADELEINE II

Ah! c'est justement de ça que je voulais te parler. T'as remis la conversation sur le bon sujet sans le savoir, merci... Une autre femme!

*Madeleine I se lève.*

### MADELEINE I

(*très brusquement*)

T'es pas gêné, hein! Inventer des histoires pareilles pour te rendre intéressant! Ton père avait raison! T'as toujours eu... une imagination... maladive...

### CLAUDE

Tu serais prête à donner raison à papa plutôt que d'avouer la vérité...

### MADELEINE I

Quelle vérité? La tienne? Celle qui fait ton affaire parce qu'est plus intéressante pour ta pièce?

### CLAUDE

Moman... ça sert pus à rien de jouer les ignorants au sujet de popa... Mariette pis moi

on sait toute la vérité sur lui depuis ben longtemps...

### MADELEINE I
Ben garde-la pour toi! Mets-la pas sur
papier! Quelqu'un pourrait la lire! Ces affaires-
là, j'm'les avoue même pas à moi-même; comment veux-tu que j'accepte de les retrouver dans
une pièce de théâtre! J'pourrai pus jamais
regarder ton père comme avant, à c't'heure que
j'ai lu ça! T'avais pas pensé à ça, toi, tout ce qui
t'intéressait, c'était de le salir! De nous salir!
Cette scène-là au sujet des femmes s'est jamais
produite, pis a' se produira jamais, m'entends-
tu? Aussi longtemps que je vivrai j'empêcherai
cette scène-là de se produire!

### CLAUDE
J'espérais qu'a' te fasse du bien...

### MADELEINE I
A'm'a pas faite de bien, a'l'a ranimé quequ'-
chose en moi que j'avais enterré pour toujours!
Pour toujours, Claude! T'as ressuscité... la chose
qui avait failli me rendre folle... le doute! J'ai
recommencé à douter à cause de toi pis j'te le
pardonnerai jamais!

*Elle sort du salon.*

### MADELEINE II
J't'ai jamais parlé... des autres femmes...

### ALEX II
(*mal à l'aise*)
Quelles autres femmes!

### MADELEINE II

Alex, s'il vous plaît, rends-moi pas les choses plus difficiles... J'ai assez de misère comme ça. Ça sert à rien de jouer les innocents. Tout le monde sait dans'maison, Alex. Pis depuis longtemps.

### ALEX II

Pourquoi parler de ces affaires-là...?

### MADELEINE II

Peut-être pour me libérer, moi.

### ALEX II

J'veux pas parler de ces affaires-là. Ça me gêne. C'tait des affaires sans importance, de toute façon. J'ai toujours été.. attiré par les femmes, tu le sais... Je l'ai jamais caché...

### MADELEINE II

J'comprends que tu l'as jamais caché... Quand arrivait le temps des fêtes j'avais assez peur... Y pouvait pas rentrer une femme dans'-maison sans que tu te jettes dessus.

### ALEX II

Madeleine, charrie pas! C'est vrai qu'avec un petit coup dans le nez, j'devenais entreprenant, mais tous les hommes faisaient pareil!

### MADELEINE II

Ben oui, c'est ben ça, l'affaire! C'est toujours pareil, partout! Quand vous avez pas bu vous êtes gênés comme des veaux mais aussitôt que vous avez un coup dans le nez, toutes les femmes y passent! C'est le temps des fêtes, ou ben donc c'est un mariage, ou ben donc c'est une première communion, faut fêter ça! La boisson, pis le tripotage dans les coins, c'est ça, pour vous autres, un party! Vous vous cachez pas pour tripoter vos petites belles-soeurs, pis vos petites cousines; vous faites ça devant tout le monde en lâchant des grands cris pis en faisant des farces cochonnes, ça fait que c'est pas grave! Ben non! D'abord que ça va pas jusqu'au boute! Hein? La boisson vous donne la permission de frôler mais vous savez que vous pouvez pas aller trop loin! Pis nous autres, les niaiseuses, pendant ce temps-là, on vous regarde en riant trop fort nous autres aussi! Parce qu'on sait pas quoi faire! Pis parce qu'on est gênées de vous voir faire! C'est un rire de honte! On a honte de vous autres, pis on rit! Mais c'est pas de vous autres en général que j'veux parler, c'est de toi. C'est de ce que tu faisais pendant que t'étais parti, c'est de ce que tu fais probablement encore que j'veux te parler...

### ALEX II
C'que je fais quand je passe la porte, ça me regarde, Madeleine! Ça se passe à l'autre bout de la province, que c'est que ça peut te faire? Chus t'un homme en santé, pis j'ai des besoins d'homme en santé! Des fois, chus parti pendant des semaines, pis... Y'a des femmes pour ça, Madeleine, tu le sais ben! Mais c'est pas grave, ces affaires-là! Ça empêche pas les sentiments que j'ai pour toi! Pis t'as jamais eu à te plaindre de moi, j't'ai toujours... Quand on se retrouve, Madeleine, tu peux pas dire... Chus pas capable de parler de ces affaires-là! C'que tu sais pas te fait pas mal, pourquoi tu veux toute savoir!

## MADELEINE II

J'en sais déjà assez pour que ça fasse mal, justement! J'ai un orgueil moi aussi, tu sais! Tu peux pas le piétiner, comme ça, sans que ça me fasse quequ'chose! Tu ris de moi depuis notre mariage, Alex, c'est assez!

## ALEX II

J'ris pas de toi!

## MADELEINE II

Tu me regardes en pleine face, là, maintenant, pis tu ris de moi, Alex! Parce que t'as jamais deviné tout c'que j'savais... Parce que t'espères que j'sais pas toute! Laisse-moi te conter juste une histoire. Juste pour te montrer à quel point, j'en ai enduré. Un bon jour, quelqu'un est venu sonner à'porte... J'ai été répondre. C'tait une femme qui tenait une p'tite fille dans ses bras. Me vois-tu venir, là? (*Alex II se détourne.*) A' m'a dit qu'a' s'appelait madame Cantin... Ça te dit-tu que'chose, Alex, madame Cantin... de Sorel?

## ALEX II

Est venue icitte?

## MADELEINE II

Ça fait des années, de ça. A' m'a dit qu'a' t'avait pas vu depuis des mois pis que tu l'avais laissée sans une cenne...

## ALEX II

Vous vous connaissez depuis des années pis vous me l'avez jamais dit ni l'une ni l'autre!

## MADELEINE II

Nous autres aussi on peut avoir nos petites cachotteries, tu sais... Quel âge qu'a'l'a, la petite, là? A'doit ben être adolescente? Fais-toé-s'en pas, on se fréquente pas en cachette. J'ai même pas leur numéro de téléphone. Mais je sais qu'y'existent, pis ça me tue! Peux-tu t'imaginer c'que j'ai ressenti quand j'ai sorti dix piasses de ma sacoche pour y donner? Hein? L'humiliation! Pour elle autant que pour moi! En arrière du clown farceur, du faiseur de jokes, de l'enfirouapeur de profession y'a un autre homme que je connais pas, qui mène une deuxième vie que je connais pas pis qui trompe probablement c'te deuxième vie-là avec une troisième... Y'a-tu une fin, y'a-tu une fin, Alex, à tes tricheries? As-tu semé à tous vents des familles dans toutes les villes où t'as travaillé? Y'a-tu une madame Cantin à Sept-Îles, pis une autre à Drummondville? Pis y'ont-tu toutes de la misère à faire vivre tes enfants? Madame Cantin a téléphoné de Sorel, après-midi, Alex... T'as encore «oublié» d'y laisser de l'argent... Pis moi chus pus capable de vivre dans le mensonge.

## ALEX II

C't'enfant-là est peut-être même pas de moé! J'me sus laissé avoir, que c'est que tu voulais que je fasse? Est-tait pas plus importante que les autres, au commencement, mais... mais a' m'a dit un jour qu'est-tait enceinte de moé pis je l'ai crue.. J'aurais dû la sacrer là parce qu'a'l'avait connu ben des hommes avant moé pis y'a rien qui me disait que c't'enfant-là était de moé... Mais... toé, tu voulais pus d'enfant, pis moé ça me tentait... ça me flattait d'en avoir un autre...

## MADELEINE II

C'est ça, continue, ça va être de ma faute...

## ALEX II

(*la coupant*)

Pis j'ai toujours fait face à mes responsabilités...

## MADELEINE II

Tu la laissais régulièrement sans argent!

## ALEX II

J'en avais pas! J'avais de la misère à vous faire vivre vous autres! J'étais pris à'gorge, Madeleine! Toi aussi j'te laissais sans argent, des fois! J'avais pas d'argent pour vous autres, comment tu voulais que j'y en donne à elle! Pis y'en n'a pas d'autres à Sept-Îles pis à Drummondville. C'est la seule...

## MADELEINE II

C'est-à-dire qu'y'en a d'autres un peu partout mais pas avec des p'tits...

## ALEX II

Y'a des gars qui devraient jamais se marier. J'me sus rendu compte trop tard que j'en étais un...

## MADELEINE II

Aïe, j'te dis que tu règles ça vite, un problème, toi! C'est pour ça que tu nous parquais tou'es étés dans le fin fond des bois, de juin à septembre, pis qu'on avait l'honneur de te voir juste de temps en temps... Tu faisais comme si t'étais pas marié! Une maudite belle vie, ça!

Trois mois de paix par année pour courir la gali-
pote! Un mois chez l'une, un mois chez l'autre...
Leu' dis-tu la même chose, à eux autres, quand y
te posent des questions? Hein? Leu'dis-tu que
c'est moi qui compte pas ou ben donc si j'ai
l'honneur d'être considérée comme la reine-
mère?

### ALEX II
Que c'est que tu veux que j'te dise! Penses-
tu que j'étais heureux, pendant toutes ces
années-là...?

### MADELEINE II
Aïe, essaye pas de faire pitié, s'il vous plaît!

### ALEX II
Laisse-moé donc parler! C'est vrai que... que
j'ai tendance à semer à tous vents, comme tu
dis... Mais pour moé c'est sans importance...
C'est juste... c'est juste un besoin naturel qu'y
m'arrive de ressentir, le samedi soir, quand j'me
retrouve tout seul dans un hôtel déprimant... Pis
si y'avait pas eu la p'tite...

### MADELEINE II
Si y'avait pas eu la p'tite, j'aurais jamais rien
su pis tout aurait continué comme avant jusqu'à
la fin des temps, c'est ça? C'est ça, ton rêve, au
fond, hein? Faire le beau avec moi en me riant
dans le dos pis en continuant à batifoler de ville
en ville, de femme en femme, tout en sachant
que j's'rais toujours là, moi, l'ignorante, l'imbé-
cile, avec mon rôti de boeuf pis ma tarte aux
pommes! C'est ça que j'ai fait, malgré tout, en
t'attendant, hier, un rôti de boeuf pis une tarte

aux pommes... parce que t'aimes ça... Le rôti de boeuf a séché pis j'ai pas pu résister à la tarte aux pommes. Y'en manque deux gros morceaux...

*Elle serre ses bras contre elle.*

### ALEX II
Qu'est-ce que t'as? Tes douleurs, encore?

### MADELEINE II
Mes douleurs, chus capable d'y faire face toute seule... Laisse faire la compassion. Ça pognera pas plus que tes farces plates. À c't'heure que tu sais toute, pas besoin de te dire que j'ai pas envie de continuer, hein? J'te trouverai pus jamais drôle, pis si tu savais comme ça me soulage! J'vas tout faire pour qu'on divorce, Alex. Même si je sais que ça va être dur pis que ça risque d'être long. En attendant, quand tu seras à Montréal, tu iras vivre dans un hôtel déprimant, comme ça tu pourras être sûr que tes samedis soirs seront pas plates...

*Elle sort.*
*Silence.*
*Alex II se dirige vers le téléphone.*

### ALEX II
Sacrament! Elle, a' va me payer ça!

*Il sort avec le téléphone.*
*Madeleine I entre.*
*Elle tient un verre de lait.*

### CLAUDE
Toujours tes douleurs?

34

## MADELEINE I

Ça non plus t'avais pas d'affaire à en parler. Mais je suppose que ça sert à rien de te le dire. J'voulais juste te dire une chose, Claude. J'resterai pas longtemps, j'vas disparaître dans ma cuisine, comme toujours. C't'un rôti de veau, c'te fois-là, juste pour pas faire comme dans la pièce... Mais fais-toi-s'en pas, y'a une tarte aux pommes... (*Silence.*) J'voulais te parler d'une chose que t'as oubliée dans ta pièce... le silence.

## CLAUDE

J'sais c'que tu vas en dire, du silence, maman...

## MADELEINE I

Ben écoute-moi pareil! Comme ça, si tu fais une autre citation ça sera la bonne, pour une fois! (*Elle vient se placer tout près de son fils.*) Dans une maison comme ici, c'est la chose la plus importante, tu vois. C'est à cause de lui que les murs tiennent encore debout. Quand ton père est disparu depuis des jours pis que ta soeur est partie travailler, ça m'arrive de m'ennuyer, c'est sûr. J'me promène dans'maison, j'sais pas quoi faire de mon corps... La télévision est plate, la lecture m'a jamais vraiment beaucoup intéressée... J'ai passé l'âge où y fallait que je sorte tous les jours, même si c'était juste pour aller acheter une pinte de lait dont on n'avait même pas besoin... Ça fait que j'me retrouve immanquablement ici, dans le salon, sur le sofa, avec les mains croisées sur les genoux pis un verre de lait posé sur la table à café au cas où une douleur me prendrait... Les premières minutes sont toujours difficiles... Tous les jours... J'angoisse, j'ai le coeur serré, j'me demande comment j'vas faire pour passer à travers la minute qui s'en vient, pour survivre à l'après-midi qui vient à peine de commencer... Des fois chus obligée de me plier en deux tellement j'ai peur. Non, c'est pas vrai, j'ai pas peur. C'est pas de la peur. Tu comprends, j'ai pas peur qu'y m'arrive quequ'chose, je le sais qu'y peut rien m'arriver, rien! Mais j'angoisse parce que j'ai l'impression que j'vas mourir d'ennui. J'ai rien à faire. Si je sais que ton père rentrera pas, j'aurai juste un p'tit repas à préparer pour Mariette pis moi, vers six heures... pis si Mariette m'appelle pour me dire qu'a' soupera pas avec moi, j'peux me contenter d'une soupe en boîte ou ben d'une sandwich... (*Silence. On la sent angoisser.*) Ça fait que j'ai... cinq heures à remplir. Dans le silence. Pis là, dans le milieu du silence, la tempête arrive. J'la sens venir... Des fois j'ai pas le goût parce que chus trop fatiguée ou ben parce que j'ai mal au côté, mais a' vient pareil... peut-être parce que j'en ai besoin... pour passer le temps. Pis là... c'est sûr que tout c'que t'as mis dans ta pièce me passe par la tête... J't'ai dit tout à l'heure que tout ça c'tait des choses que j'm'avouais pas à moi-même... c'est sûr que c'est pas vrai... Chus pas folle, je le sais la vie que j'ai eue! Ça fait que j'fais des scènes qui durent des heures, des scènes tellement violentes, si tu savais... j'me décharge de tout mon fardeau, pis j'en remets... J'deviens... une sorte d'héroïne... J'démolis la maison ou ben j'y mets le feu, j'égorge ton père, j'y fais même pire que ça... J'vous fais des scènes, à ta soeur pis à toi... Tout c'que j'ose pas vous dire au téléphone ou ben quand vous êtes là sort... par vagues plus hautes que la maison! Mais tout ça,

36

Claude, se fait dans le silence. T'arriverais au milieu de tout ça pis tu penserais que chus juste dans la lune ou ben que chus t'en train de me demander c'que j'vas faire pour le souper... parce que c'est l'image que je vous ai toujours donnée de moi... C'est ça ma force. Ça a toujours été ça. Le silence. J'connais rien au théâtre mais chus sûre que ça serait pas mal difficile de faire ça, une tempête dans une tête! Mais laisse-moi te dire que c'est ben plus efficace que n'importe quelle scène de ménage! parce que ça porte pas à conséquence! J'ai toujours tout enduré en silence parce que j'ai toujours su qu'au bout du compte ça payerait plus. Tu peux penser tout ce que tu veux quand tu te barricades là-dedans, tout en faisant autre chose qui a rien à voir pis qui donne aux autres la version de toi que tu veux qu'y'ayent... De toute façon, que c'est que ça me donnerait de faire comme dans ta pièce? Oùsque j'irais, un coup divorcée? M'ennuyer ailleurs? Dans un appartement miteux pour les pauvres folles comme moé qui auraient pas eu l'intelligence de se taire? Me trouver une job? J'sais rien faire d'autre que le ménage pis à manger! J'irai pas faire des ménages dans des maisons de riches pour le reste de mes jours juste parce que j'me serai déchargé le coeur une fois! Pis j'irai pas continuer mes cauchemars de l'après-midi dans un deux pièces et demie meublé! Ta femme, là, dans la pièce, là, qui porte mon nom pis qui est habillée comme moi, que c'est qu'a' va faire, le lendemain matin? Hein? Après avoir joué l'héroïne? On sait ben, ça t'intéresse pas, toi! Quand a'l'ouvre la porte pis qu'a' sort d'la scène, a'l'arrête d'exister pour toi pis tu t'en sacres, d'abord que t'as écrit des belles

37

scènes! Mais moi, faut que je vive demain, pis après-demain, pis les autres jours! Si t'as jamais entendu le vacarme que fait mon silence, Claude, t'es pas un vrai écrivain! (*Silence.*) Tu dis rien. Avoue que j'ai pas dit pantoute c'que tu pensais que je dirais au sujet du silence...

### CLAUDE

Oui... j'avoue. C'est vrai que j'te voyais autrement. Mais je continue à penser que le silence, c'est malsain. Tu peux pas vivre toute une vie dans le silence...

### MADELEINE I

Oui, tu peux.

### CLAUDE

Tu m'as parlé de ton orgueil, tout à l'heure... Tu disais que t'étais trop orgueilleuse pour parler de ces choses-là avec papa... Mais le silence, maman, c'est pas aussi humiliant? C'est ben beau de rester ici enfermée pis de te défrustrer dans ta tête mais ça t'humilie pas d'être complice de tout ce qu'y t'a fait dans ta vie? Y'est dans son bain, en haut, là, on l'entendait chanter, tout à l'heure... Sa présence t'insulte pas? Sa grossiè-reté, son pètage de bretelles, ses rots de bière te font pas frémir? Ça serait pas... une plus grande jouissance que d'aller y dire au-dessus de son bain que tu sais tout, depuis toujours, pis que tu le méprises?

### MADELEINE I

C'est à toi, que ça ferait du bien, Claude. C'est tes problèmes à toi avec lui que t'as réglés dans c'te pièce-là, pas les miens! Pis veux-tu que j'te dise une chose qui va te faire frémir encore plus? T'as été injuste avec lui!

CLAUDE

Maman!

MADELEINE I

Oui, oui, injuste! Y'est pas le quart aussi écoeurant que c'que t'en as faite!

CLAUDE

Tu veux parler de la scène avec Mariette?

MADELEINE I

J'veux parler de tout! T'en as faite un monstre alors que c'est juste un pauvre homme sans envergure, sans envergure, Claude, qui cache son manque de génie en dessous des farces cochonnes! Y'a une mémoire extraordinaire pour retenir les farces plates pis ça y donne l'impression d'être quelqu'un! C'est tout! Y'est même pas méchant! Ben oui, y'aime les femmes, y voyage, pis y'a des occasions... Mais ça t'est jamais passé par l'idée que ça pouvait faire mon affaire? Qu'y soit loin, pis qu'y'en connaisse d'autres?

CLAUDE

Là, tu dis pas c'que tu penses!

MADELEINE I

C'est vrai. J'pense que j's'rais prête à dire n'importe quoi, là, pour te prouver que t'as tort... (*Brusquement:*) C'est vrai que j'ai toujours pilé sur mon orgueil, bon, pis après? Ça te donne pas le droit de me juger! (*Elle s'approche très près de Claude.*) Chus tu-seule avec moi-même

39

à l'intérieur de ma tête, Claude, ça fait que chus tu-seule à savoir c'que je pense. Pour qui tu te prends pour venir m'interpréter? Le messie? Tu veux me sauver? Laisse-moi donc me sauver tu-seule, s'il vous plaît, j'ai pas besoin de toi! Pis j'ai surtout pas besoin que tu viennes me faire douter de moi-même! Quand j'ai lu ta pièce, c'est sûr que j'ai été ébranlée! J'ai douté. J'ai douté de moi. J'ai douté d'avoir raison! J'me sus vue, là, dans le salon, en train d'engueuler ton père, de le crucifier avec un sens de la répartie que j'ai jamais eu, pis j'me sus dit: quelle belle fin, quelle belle façon de mettre un point final à tout ça, mais les conséquences m'ont fait tellement peur! J'aime mieux continuer à rêver des scènes qui sont belles pis que je peux reprendre quand je veux que de risquer d'en manquer une d'une façon irrémédiable et jamais me le pardonner! (*Silence*.) J'étais tellement fière de toi quand tu m'as appris que t'avais écrit une pièce de théâtre! J'ai tellement toujours été contente que tu veules devenir écrivain... J't'ai encouragé autant que j'ai pu, même quand les autres te taquinaient là-dessus...

CLAUDE

Y me taquinaient pas, y riaient de moi!

MADELEINE I

Mettons... Moi, j'me disais... Un artiste dans'-famille, un écrivain, surtout, ça va faire changement de ce qu'on a toujours connu... J'avais jamais rencontré personne dans toute ma vie qui voulait devenir un artiste! Pis tout d'un coup y'en avait un dans ma maison! Y'a pas si long-temps j'te trouvais endormi dans ton lit, quand

40

tu restais encore ici, avec un papier pis un crayon dans les mains... tu revenais de tes boîtes de beatnicks, tu te garrochais sur du papier pis tu t'enfermais pendant des heures dans ta chambre. Ça me faisait peur parce que j'avais l'impression que le monde que tu fréquentais était dangereux... mais quequ'part j'étais flattée... qu'ici, dans ma maison, y'aye quelqu'un qui s'intéressait à d'autre chose que le hockey l'hiver pis le maudit baseball l'été! J'avais trouvé un allié pour m'insurger quand arrivait le samedi soir à huit heures... Tu t'en rappelles, quand ton père était ici, le samedi soir, quand t'étais petit, les discussions qu'on avait parce que nous autres on aimait mieux regarder la vue au 6, même si c'était en anglais, pis que ton père pis Mariette voulaient regarder leur hockey? C'est toujours eux autres qui gagnaient, ça fait que tu claquais la porte de ta chambre... pis j'savais c'que tu faisais... Tu me faisais pas lire c'que t'écrivais pis je demandais pas de le lire non plus... J'attendais... J'attendais c'qui est arrivé cette semaine, j'suppose... que t'arrives un bon jour pis que tu me dises... «Tiens, lis ça, pis dis-moi c'que t'en penses...» J'étais tellement fière, l'autre jour! Enfin, un gros paquet de papier à lire... J'avais jamais vu ça, un manuscrit. Ça ressemblait pas à un livre mais ça avait des chances d'en devenir un... pis... j'étais probablement une des premières personnes à le lire... avant l'éditeur... avant l'imprimeur... Aussitôt que t'as été parti, chus venue m'installer ici... J'tremblais, c'est pas mêlant... J'me disais... j'vas enfin savoir... tout ce qu'y préparait tout ce temps-là... J'ai lu le titre... J'ai pas trop compris c'que ça voulait dire mais c'est pas grave... J'ai lu les noms des personnages... J'ai trouvé ça cute que t'aye donné nos noms à des personnages de théâtre... T'sais... j'avais jamais lu ça, une pièce de théâtre, moi, pis j'ai eu de la misère au début à comprendre comment ça marchait... Mais... au bout de queque'pages... la déception... non, pire que la déception... j'sais pas si y'a un mot pour décrire c'que j'ai ressenti... C'tait comme une brûlure dans mon ventre... comme le vertige quand on apprend une mauvaise nouvelle tout d'un coup... La trahison! C'est ça, j'ai eu l'impression d'être trahie par mon propre enfant... Je r'trouvais toute ma vie... défigurée... J'entendais Mariette quand t'étais petit nous crier qu'a' venait encore de te retrouver dans quequ'coin en train de l'espionner... pis j'me sus dit... tout ce temps-là, c'est-tu elle qui avait raison? J'ai-tu élevé un espion qui enregistrait toute c'qu'on faisait pour pouvoir rire de nous autres plus tard... Surtout que... tu t'es pas livré, toi, là-dedans, en fin de compte. C'est surtout de ça que je voulais te parler. T'as parlé de tout le monde, dans'famille, sauf de toi. C'est-à-dire que les personnages parlent de toi, mais t'es pas là. Jamais. Comment ça se fait, ça? Moi, j'ai toujours pensé que les écrivains écrivaient pour parler d'eux autres... pour essayer de s'expliquer eux autres... Mais toi, t'as même pas eu le courage de te mettre dans ta propre pièce. Quand on a fini de lire ça, on le sait pas qui c'que t'es! T'as faite de nous autres des portraits effrayants, t'as arrangé la réalité comme tu voulais, comme ça faisait ton affaire, t'as même gardé nos noms, Claude, mais tu t'es caché, toi. Tu t'es mis en arrière de nous autres en disant au monde: r'gardez comme y sont laids, comme y sont ridicules...

## CLAUDE

J'ai jamais dit que vous étiez laids pis ridicules. Pis si j'ai pas parlé de moi, c'est peut-être parce que j'me trouve pas assez intéressant.

## MADELEINE I

Voyons donc! T'as toujours tout fait, ici-dedans, pour attirer l'attention, comment ça se fait que tu te trouves pus intéressant, tout d'un coup! Moi, j'penserais plutôt que c'est de la lâcheté... Tu reproches à ton père tout le long de la pièce d'être un lâche pis tu vaux pas tellement mieux toi-même... C'est pas un acte de courage, tu sais, d'écrire une pièce sur du monde qui peuvent pas se défendre... comment tu veux qu'on te réponde? Tout ce qu'on peut faire, c'est de rester là, à subir tes affronts, à endurer tes mensonges, parce que c'est toutes des mensonges, ça, Claude...

## CLAUDE

C'est pas des mensonges, maman. C'est ma façon à moi de voir les choses... C'est une... version de la réalité.

## MADELEINE I

C'est une version que tu veux emmener sur la place publique tandis que notre version, à nous autres, on est obligés d'la garder pour nous autres!

## CLAUDE

Tu dis que t'aimes mieux le silence... Moi j'ai décidé de prendre la parole...

43

MADELEINE I

Mais c'est pas la bonne! T'as pris la parole pour nous autres, Claude, qui c'est qui te donnait ce droit-là? Pis en plus c'est la seule qui va rester parce que c'est la seule qui est écrite! T'as pas le droit de faire ça! T'as pas le droit! Prends la parole pour toi tant que tu voudras, exprime-toi, conte-nous tes malheurs, mais laisse-nous tranquilles! J'ai ouvert ça en pensant que j'apprendrais enfin qui était mon enfant pis tout c'que j'ai trouvé... Ah! j'veux pas tout répéter ça encore une fois...

CLAUDE

Tous les écrivains font ça, maman, prendre des choses autour d'eux pis les restituer de la façon qu'y les voient, eux...

MADELEINE I

C'est pas une raison! Les autres écrivains, j'les connais pas pis y'écrivent pas des mensonges sur mon compte! Tu te défends mal, Claude... C'est-tu parce que tu sais que tu pourrais rien me répondre?

CLAUDE

Maman... tu connais pas ça, le théâtre...

MADELEINE I

Pourquoi tu m'as fait lire ça, d'abord? Tu me donnes un miroir qui déforme toute pis après tu me dis que chus pas capable de comprendre c'qu'y a dedans...

CLAUDE

Au contraire, j'te l'ai dit, tout à l'heure,

j'pensais que tu comprendrais, que t'apprécierais c'que j'ai essayé de faire...

### MADELEINE I

Apprécier! Apprécier quoi! La caricature? Le mépris?

### CLAUDE

Le mépris? T'as vraiment senti du mépris, dans ma pièce? Même pour toi?

### MADELEINE I

Oui.

### CLAUDE

Pour papa, t'as raison... mais pour Mariette pis toi... J'ai pourtant fait ça... avec la meilleure volonté du monde... pour vous défendre.

### MADELEINE I

J'te l'ai dit, tout à l'heure... J'avais pas besoin que tu me défendes...

### CLAUDE

Mais si moi j'avais besoin de vous défendre? Si c'était ma façon à moi de m'exprimer! À travers vous autres? C'est peut-être vrai que c'est du travail d'espion, en fin de compte, que j'me sus servi de tout c'que j'pensais savoir sur vous autres pour dire des choses qui sont pas agréables à entendre... que tu veux pas entendre... mais j'ai le droit! Pis y faut me le laisser!

### MADELEINE I

Non. Justement.

CLAUDE

Même si chus de bonne foi?

MADELEINE I

Tu peux pas être de bonne foi. Parce que t'es pas nous autres...

CLAUDE

C'est là que tu te trompes, maman... Écoute... Veux-tu m'écouter juste un peu? (*Madeleine I s'asseoit à côté de Claude.*) J'ai toujours eu une grande facilité... à me glisser à l'intérieur des autres. À les... sentir. J'fais ça depuis toujours. Vous autres, vous appelez ça de l'espionnage... Moi, j'appelle ça vivre. Quand j'étais dans mon coin à vous regarder faire, à vous écouter parler, j'vivais intensément tout ce qui se faisait, pis tout ce qui se disait, ici. Je le gardais en mémoire, j'me le récitais, après, j'y ajoutais des choses... je... je... c'est vrai que je corrigeais, après, ce qui s'était passé... J'devenais chacun de vous autres, j'me glissais dans chacun de vous autres, pis j'essayais de comprendre... comment c'était fait, à l'intérieur des autres... en interprétant, en changeant des fois ce qui s'était passé... parce que des fois ce qui s'était passé était pas assez révélateur... C'est encore ça que je fais... J'essaye... j'essaye de trouver un sens à ce qui se passe à l'intérieur des autres...

MADELEINE I

Pis ce qui se passe à l'intérieur de toi, ça t'intéresse pas?

CLAUDE

Ça m'intéresse pas d'en parler, j'te l'ai dit...

### MADELEINE I

C'est ce que j'te disais tout à l'heure... c'est de la lâcheté.

### CLAUDE

Bon, c'est correct... j'me rends compte qu'on peut pas discuter... On tourne en rond... On répéterait les mêmes affaires à l'infini... Chus... désolé de t'avoir demandé de lire ça... Si tu veux, j'peux changer les noms des personnages...

### MADELEINE I

Que c'est que ça va changer pour moi! Je l'ai lue avec mon nom! J'me sus vue souffrir dans mon propre salon pis dire des affaires que je dirai jamais, y'est trop tard! Mais y'a une autre raison pourquoi tu m'as fait lire ça... J'te connais...

### CLAUDE

On va la monter, mes amis pis moi, dans un petit théâtre, à l'automne.

### MADELEINE I

Tu vas sortir ça d'ici? Tu vas laisser du monde la lire, pis la monter, pis nous jouer? Y'a des acteurs qui vont être payés pour dire ces affaires-là? Pis y'a du monde qui vont payer pour les entendre! Le monde, y vont pas au théâtre pour voir ça, jamais je croirai! Sont pas fous! Rapporte ça avec toi. J'veux pus jamais en entendre parler. Si vous la jouez, dis-moi-lé pas... Pis dis-moi-lé surtout pas si ça a du succès...

*Elle se dirige vers la porte.*

*Alex I revient, en robe de chambre et pantoufles*

47

*quétaines. Madeleine I et Claude sont évidem-*
*ment mal à l'aise.*

### ALEX I

Jésus-Christ, que c'est ça, ces faces d'en-terrement-là! Aïe, vous allez changer d'air tu-suite, hein? J'ai pas faite tout ce chemin-là pour trouver des visages de carême! Le menton vous frotte s'u'l'tapis! J'vous l'ai toujours dit, quand j'rentre icitte, y faut que le party pogne! Ça sera toujours le temps de régler vos problèmes quand j'y serai pus! Irais-tu me chercher une p'tite bière, Madeleine? J'ai le gorgoton comme du papier sablé... D'la frette, c'te fois-là, celle que j'avais dans mon bain était juste tiède pis ça me donne mal au coeur...

*Madeleine I sort en silence malgré l'air furieux de son fils.*

### CLAUDE

Franchement, t'aurais pu aller la chercher toi-même, ta bière!

### ALEX I

Chacun son rôle, mon boy! Moé, j'vas cher-cher l'argent, ta mère va chercher la bière!

### CLAUDE

Comment peux-tu dire des monstruosités pareilles pis les trouver drôles, en plus!

### ALEX I

C't'une farce! Tu le sais très bien que c'est juste une farce! J'ai toujours traité ta mère comme une princesse, pis a' m'a toujours gâté comme comme si j'avais été l'enfant prodigue!

C't'un jeu qu'on a développé ensemble pis t'as rien à dire là-dessus. Surtout toé! Si y'a quelqu'un qui a été honteusement gâté ici-dedans, c'est ben toé! Aïe, à côté de toé, a' m'a traité comme Aurore l'enfant martyre!, j'pense! (*Madeleine revient avec une bouteille de bière.*) C'pas vrai, ça, Mado, que tu les as trop gâtés, tes enfants?

### MADELEINE I

Quand tu commences à m'appeler Mado, c'est que t'as plus qu'une p'tite bière tiède dans le système...

### CLAUDE
(*à sa mère*)

Tu vois que c'est pas vrai que t'as pas le sens de la répartie...

### ALEX I

Ta mère? Le sens de la répartie? C'est comme ça qu'a' m'a eu, mon p'tit gars! Y'avait personne comme elle pour remettre un gars à sa place! Pis moé a' m'a remis à ma place tellement souvent que j'me sus dit: faut que j'la marie pour la mettre à ma main! Mais j'ai jamais réussi! Après vingt-six ans de mariage, c'est toujours elle qui a le dernier mot!

### MADELEINE I

J'ai toujours le dernier mot parce que tu te mets à ronfler avant que j'aye fini de parler!

*Elle sort.*

### ALEX I
(*en riant*)

Ça fait tellement de bien de revenir icitte...
Chaque fois... depuis tout ce temps-là... Pis toé,
toujours pas de mariage en vue?

*Claude soupire d'exaspération.*

### ALEX I

J'radote comme un vieux record, hein? On
se marie pus, de nos jours... On fait c'qu'on a à
faire pis quand ça marche pus... bonsoir la compagnie! (*Il boit.*) J'ai conduit tellement longtemps
pis sur des routes tellement épouvantables que
j'ai encore tout ça dans les bras... même après
mon bain...

*Silence.*

Aie, 'coudonc, c'est pas avec toé que j'vas
avoir une conversation qui a de l'allure à soir,
hein? Parliez-vous de moé quand chus rentré,
là? Chus arrivé juste un p'tit peu trop tôt, j'suppose? J'ai le don de jamais arriver au bon
moment, moé! Ça a toujours été comme ça!
«J't'attendais juste demain», ou ben «J't'attendais
pus, j'pensais que t'étais mort!»

### CLAUDE

Y faut dire que tu t'es jamais tellement
annoncé non plus, hein? Faut te prendre quand
t'arrives!

### ALEX I

Ouan, faut me prendre quand j'arrive, pis
faut m'apprécier quand j'arrive! (*Il rit.*) Tu me
trouves loud, hein? Tu dois pas parler de moé
trop souvent avec tes petits amis beatniks...

### CLAUDE

Les beatniks existent pus depuis longtemps, popa...

### ALEX I

Pas si longtemps que ça... J'te revois encore avec ton chandail turtle neck pis tes pantalons noirs...

### CLAUDE

J'avais dix-huit ans...

### ALEX I

T'en rappelles-tu quand j'ai été te sortir d'la Paloma parce que ta mère était inquiète de te voir revenir à'maison cerné pis trop nerveux parce que t'avais trop bu de café? Pis qu'a' pensait même que tu prenais des goofballs? Aïe, son fils chéri qui se tenait avec du mauvais monde qui était en train de le pervertir! Aïe, là t'as dû avoir honte de moé, hein? Le popa commis voyageur qui ose pénétrer dans le cénacle des refaiseux de monde! Le méchant ouvrier quétaine et méprisable qui fait irruption sans s'annoncer chez les intellectuels supérieurs et porteurs de vérité! T'en rappelles-tu de ce que j'ai faite en partant? Hein? J'ai payé la traite à tout le monde! J'sais vivre, t'sais!

### CLAUDE

C'que tu sais pas c'est que personne a voulu en profiter! Y'ont toutes refusé la traite quand t'as été parti.

*Alex se lève, furieux.*

## ALEX I

Tu m'avais jamais dit ça!

## CLAUDE

J'avais ben que trop peur que t'ailles toute démolir!

## ALEX I

T'as ben faite d'avoir peur, mon p'tit gars! Gang de frappés! Ça prend-tu des Jésus-Christ de p'tits snobs, ça! C'tu encore ouvert, ça, la Paloma, ou ben donc si y'a un père qui a eu le génie d'y mettre le feu avant moé?

## CLAUDE

C'est ça, continue donc à rêver de mettre le feu dans tout c'que tu comprends pas...

## ALEX I

Ben j'vas t'étonner, mon p'tit gars! Pis j'vas te montrer que chus pas si ignorant pis si intolé-rant que ça! Ben oui, j'connais le mot intolérant, r'garde-moé pas de même! J'voyage, t'sais, chus pas comme vous autres... j'vois d'autre chose que des murs d'appartements de Montréal, moé! J'ai fréquenté du monde autrement plus instruits pis intéressants que ta p'tit'gang de nobodys qui se prennent pour le nombril du monde!

## CLAUDE

Ça, j'me fie sur toi. T'as dû en fréquenter, du monde...

## ALEX I

Ben sais-tu quoi? J'étais dans mon bain, tout à l'heure, j'avais la bédaine qui me dépassait de l'eau, ma bière d'une main pis la débarbouillette de l'autre, pis j'me disais que j'avais été injuste avec toé. Ben oui. Mon seul garçon dont j'ai déjà été si fier — jusqu'à ce que t'ailles au secondaire, en tout cas, pis que tes idées de grandeur te pognent — mon seul garçon veut devenir écrivain pis je ris de lui... J'devrais être fier, au fond... J'me vois, là, arriver à Thetford Mines ou ben à Trois-Rivières avec ton premier livre... J'en ferais chier une couple, laisse-moé te le dire... Hein? Pis au lieu de l'encourager, que j'me disais, j'le démolis avant même d'avoir lu une ligne de ce que y'écrit! D'un coup c'est bon, d'un coup que j'aime ça, on sait jamais! On est toutes pareils, dans la famille, hein? On juge avant de comprendre... Tu me l'as assez dit que j'ai fini par le croire, tu vois... Ça fait que mon boy, j'ai décidé de te faire la grande demande... Quand tu voudras me montrer quequ'chose que t'as écrit, n'importe quand, quand tu seras prêt, je le suis aussi! C'est pas beau, ça? J'ai décidé de donner une chance au coureur... J'te promets que j'vas toute lire jusqu'au bout, à part de t'ça, au grand complet. J'te le promets! Mais j't'avertis, si j'trouve ça plate, tu vas le savoir en s'il vous plaît, par exemple! Que c'est que tu dis de ça? C'est pas un bon père, ça?

## CLAUDE

Tu seras jamais sérieux, hein? Tu joues au bon père, là, pis t'es fier de toi!

## ALEX I

Pas du tout, chus très sincère!

*Alex II vient reporter le téléphone.*

## ALEX II

Que c'est que j'vas faire? J'peux pas les laisser me jouer dans le dos comme ça! Sont toutes pareilles, hein, y finissent toujours par t'acculer dans un coin! Pas moyen de rien leu'cacher! Jamais! Maudite gang de fouineuses... J'ai besoin d'une bière, moé... Pis d'un bon bain chaud!

*Il se dirige vers la cuisine.*

## ALEX I

Tu réponds pas?

## CLAUDE

### (*doucement*)

Tu m'as tellement promis de choses, dans ma vie, que tu m'as jamais données... que j'me dis que c'est une promesse de plus qui va tomber dans l'oubli...

## ALEX I

Moi, j't'ai rien donné?

## CLAUDE

Pars pas en peur, là... J'ai pas dit que tu m'avais rien donné. J'ai dit que tu m'avais... promis des choses...

## ALEX I

J'tiens toujours mes promesses. Quand est-ce que je t'ai promis des choses que j't'ai pas données, hein?

## CLAUDE

Mon enfance pis mon adolescence sont pleines de promesses que t'as pas tenues, papa...

54

### ALEX I
Ah! ben là, si tu remontes à Mathusalem...

### CLAUDE
C'est ça, c'est passé, oublions-le! Combien de temps dure ta mémoire, papa, deux semaines? Trois? En tout cas, c'est l'impression que tu m'as toujours donnée.

### ALEX I
Les affaires importantes, j'les retiens, les autres... que c'est que tu veux, avec la vie que je mène si y fallait que je retienne toujours toute...

### CLAUDE
Tiens, un exemple: te souviens-tu du club juvénile de la police?

### ALEX I
Le club juvénile de la police? Que c'est ça!

### CLAUDE
Tu vois... Tu m'as rabâché les oreilles avec ça pendant deux ans, papa. Deux hivers de suite tu m'as promis de m'inscrire au club juvénile de la police pour faire de moi un homme, pis j't'ai cru. Pendant deux ans. Quand tu passais la porte, la première chose que tu disais, c'était: «Lundi soir prochain, mon boy, mets ta chemise blanche pis ton pantalon du dimanche, on s'en va au club juvénile de la police! Tu vas faire de l'exercice, y vont te montrer à vivre, y vont faire de toé un homme! Tu vas lâcher ça, ces livres-là, pis tu vas apprendre à suer! À grosses gouttes!» Ça fait que tou'es lundis j'faisais une crise pour que maman me sorte mon linge du dimanche...

55

excepté que t'étais jamais là, le lundi. T'as jamais été là, le lundi, ça devait être pour ça que t'avais choisi ce soir-là. J'ai-tu attendu! Le nez collé contre la vitre, tout engoncé dans mes habits propres... *bundled up*

## ALEX I

J'te disais ça pour te faire plaisir, Claude, pour te montrer que j'pensais à toé, que t'étais important... Que c'est que tu veux, j'étais pas là souvent, pis j'voulais que tu te souviennes de moé...

## CLAUDE

Ben rassure-toi, j'me souvenais de toi... T'étais tellement pas là que j'pensais même rien qu'à toi! C'était devenu une hantise! Pis quand *haunting memory* maman nous annonçait que tu t'en venais j'étais tellement énervé qu'y m'arrivait de faire d'la fièvre! Chaque fois, chaque fois j'attendais une explication... J'aurais accepté n'importe quel mensonge gros comme le bras plutôt que de m'avouer que c'était une promesse en l'air... T'arrivais, tu refaisais ta même maudite promesse pis t'allais prendre ton maudit bain! Pis j'te croyais! Pis j'le répétais à mes amis: lundi prochain mon père va m'emmener au club juvénile de la police pis y vont m'apprendre à vous casser la yeule! Tu comprends ben que j'faisais rire de moi mais ça me faisait rien! Chaque fois j'étais sûr que c'était la bonne! Pis le lundi suivant ça recommençait. Tu sortais de ton bain, tu t'enveloppais dans ta maudite robe de chambre pis y'était pus jamais question du club juvénile de la police. J'te suivais comme un p'tit chien, le coeur battant, j'te dévorais des yeux, j'mettais quasiment le nez dans ton assiette pendant que tu mangeais... toi, t'avais fait ta promesse, tu me voyais plus...

### ALEX I

Bon, ben là, tu viendras pas me dire que j'ai gâté ta vie parce que j't'ai pas emmené au club juvénile de la police...

### CLAUDE

Quand tu fais semblant de pas comprendre, comme ça, tu m'insultes tellement... J'te donne juste un exemple, juste un. Ah! pis laisse donc faire...

### ALEX I

Mais pourquoi tu me sors tout ça, tout d'un coup?

### CLAUDE

C'que j'écris a un rapport direct avec tout ça, justement, ça fait que tu ferais peut-être mieux de pas le lire...

### ALEX I

Tu parles de moé dans c'que t'écris!

*Entre Madeleine II qui se frotte le poignet, suivie de Alex II.*

### ALEX II

Contente-toé donc de t'occuper de ce qui se passe dans'maison, plutôt que d'aller fouiner dans ce qui se passe ailleurs!

### MADELEINE II

Justement, j'ai pas eu besoin d'aller fouiner!

C'est ce qui se passe ailleurs qui est venu jusqu'ici!

### ALEX II

Pis réponds-moé pas! Je le sais que t'es capable de me répondre! Tu t'es tellement toujours pensée plus intelligente que moé, hein? J'te connais! Tu guettes chacun de mes gestes, tu juges chacune de mes paroles... mais t'es ben contente de prendre l'argent que j'rapporte icitte, hein? Ben laisse-moé te dire que tu vas y rester, icitte! J'ai pas sué sang et eau pour élever une famille pour me retrouver vingt-cinq ans plus tard avec une femme pis des enfants qui me méprisent! Ou ben donc pour me retrouver tu-seul après un divorce humiliant!

### ALEX I

Fais ben attention à toé, mon boy! Fais ben attention à c'que tu dis de moé! J'ai toujours été ben patient avec toé, j't'ai laissé passer ben des choses, mais ma patience a des limites! J'ai pas trimé tout ma vie pour vous soutenir, toé pis les autres, ici-dedans, pour me retrouver au bout du compte avec un fils ingrat qui me chie dans le dos à la première occasion! Tu m'as toujours jugé, tu t'es toujours pensé plus smatte que moé mais fais ben attention à toé! Pis si au bout du compte y me reste juste les poings pour te convaincre, tu vas regretter encore plus que j't'aye jamais emmené au club juvénile de la police!

### ALEX II

C'est la première fois que j'te touche en vingt-cinq ans, mais si c'est ça que ça te prend...

## MADELEINE II

Justement, c'est pas la première fois que tu me touches... T'as la mémoire courte!

## CLAUDE

Tu t'en es déjà servi, de tes poings, tu t'en rappelles pas?

## LES DEUX ALEX

C'est pas vrai, ça...

## ALEX II

J'vous ai jamais touché...

## ALEX I

J'ai jamais levé la main sur aucun de vous autres...

## CLAUDE

C'est vrai, t'as raison... T'as failli, une fois, mais tu l'as pas fait...

## ALEX I

J'ai failli plus qu'une fois, pis j'aurais peut-être dû, plus qu'une fois. J'aurais peut-être un peu plus de respect ici-dedans!

## ALEX II

Hein? Quand, ça? Quand, ça, que j't'ai touché?

## ALEX I

Inventes-en pas des boutes par-dessus le marché! Tu peux toujours m'en vouloir pour les petites promesses que j'te faisais pis que j'tenais pas quand t'étais petit parce que j'savais pas quoi faire pour me débarrasser de toé tellement t'étais collant, mais invente pas des choses qui portent à conséquence! J'vous ai jamais frappés, jamais, pis que j't'entende jamais prétendre le contraire!

## MADELEINE II

Si tu t'es arrangé pour l'oublier, tant mieux pour toi. C'est ce que t'avais de mieux à faire, j'suppose...

## ALEX II

J'me sus pas arrangé pour l'oublier, j'm'en rappelle pas!

## MADELEINE II

Ça me surprend pas. T'as toujours été comme ça. Les choses qui font pas ton affaire, tu les vois pas... Ou ben tu les oublies, tu-suite après. C'est pourtant... un moment épouvantable de ma vie...

## ALEX II

Bon, un autre moment épouvantable de sa vie! Aïe, d'ici avant la fin de la soirée on va être obligé de te canoniser, si ça continue de même, hein?

## MADELEINE II

S'il vous plaît, Alex, essaye pas de tourner ça en farce. Pas aujourd'hui. Ça pogne pas, aujourd'hui.

## CLAUDE

Papa, j'peux-tu te poser une question?

## ALEX I

Je le sais pas! J'avoue que j'sais pus trop à quoi m'attendre de toé, à soir!

## ALEX II

Bon, okay... Que c'est que j'ai faite de si terrible... Quand, ça... Y me semble, sincèrement, que si j'avais jamais levé la main sur toi j'm'en rappellerais...

## MADELEINE II

Une fois, une seule fois, j't'ai demandé de garder les enfants dans ma vie...

*Alex II sursaute.*

## CLAUDE

T'en rappelles-tu, une fois, quand on était petits, Mariette pis moi, maman t'avait demandé de nous garder...

## ALEX I

Si j'm'en rappelle! J'avais trouvé ça assez plate que j'm'étais paqueté aux as! Surtout que Mariette avait douze ou treize ans, dans ce temps-là, pis que j'trouvais qu'est-tait assez vieille pour vous garder... Tiens, quand j'te disais, tout à l'heure, que votre mère vous a sur-protégés...

## MADELEINE II

Moman était mourante pis on avait décidé de la veiller, toute la famille...

## ALEX II

Parle pas de ça! J't'ai déjà dit que j'voulais pus jamais entendre parler de ce soir-là! Jamais!

## MADELEINE II

C'est pas parce que t'as jamais voulu en parler que ça existe pus, Alex...

## ALEX II

Ça a jamais existé, justement! Ça a existé juste dans ta tête! C'est ça qui m'a toujours fait peur! Dans tes yeux, ce soir-là, j'ai vu quequ'-chose que j'avais jamais vu ailleurs pis... c'est vrai que j'ai décidé de l'oublier! C'est correct, t'as raison, j'en avais oublié un bout! Mais j'veux pas plus en parler aujourd'hui que dans ce temps-là...

## MADELEINE II

Moi aussi, Alex, j'ai vu ce soir-là dans tes yeux des choses que j'avais jamais vues ailleurs! Mais j'aurais jamais pu les oublier, même si j'avais essayé tous les jours depuis ce temps-là!

## ALEX II

J'ai plutôt l'impression que t'as tout fait pour rien oublier, hein? Surtout qu'y s'était rien passé, pis tu le sais très bien!

*Il la prend par le poignet.*

## ALEX II

Si y s'était vraiment passé quequ'chose, tu serais partie avec les enfants, t'aurais jamais pus voulu me revoir, tellement tes accusations étaient terribles! La preuve qu'y s'est rien passé, c'est que t'es restée!

## MADELEINE II

Chus restée parce que j'avais pas de place où aller...

## ALEX II

T'es restée parce que tu savais que t'avais imaginé que cette chose-là s'était passée! C'est vrai que je t'ai frappée ce soir-là, j'm'en souviens très bien... Oui j't'ai donné une claque, une seule mais une bonne... pis veux-tu savoir une chose? Tu l'avais méritée! Tu me ressors ça à soir, là, parce qu'y te prend des idées de me sacrer là pis que ça fait ton affaire de multiplier les raisons de m'en vouloir! J'te vois faire, t'sais... T'es parfaitement de mauvaise foi pis tu le sais très bien!

*Silence.*
*Madeleine II s'approche tout près de son mari, le regarde droit dans les yeux.*

### MADELEINE II

Mariette m'a tout dit. Le soir même. Une enfant de treize ans, ça ment pas sur ces choses-là. Si tu veux pas en parler, c'est correct. J'aime probablement mieux ça comme ça moi aussi. Mais je veux que tu saches à tout jamais que j'ai toujours su pis que si j'ai jamais rien dit c'est parce que j'avais peur. Un homme qui est capable de faire ces choses-là est capable de ben d'autres choses...

*Alex I revient avec sa bière.*

### CLAUDE

Te rappelles-tu de ce qui est arrivé, ce soir-là?

*Il s'asseoit dans un fauteuil.*

### MADELEINE II

Ça t'est-tu déjà arrivé d'avoir l'impression d'être enterré en dessous d'une tonne de briques? Ou ben donc d'être assommé par un coup de marteau? Parce que tout dans ta vie avait changé en une seconde? Une seconde, t'es quelqu'un qui pense certaines affaires... T'es sûre de savoir qui t'es pis qui sont les autres, autour de toi... tu te poses même pus de questions à leur sujet... depuis longtemps. Ton monde... est définitif. Mon monde était définitif, Alex. J'étais... arrivée quequ'part... pour toujours. J'comprenais tout sur ce qui m'arrivait... J'avais même... une certaine emprise sur mes problèmes les plus graves... qui étaient pas des ben ben gros problèmes, c'est vrai, mais qui auraient pu m'empêcher d'être heureuse si j'les avais pas eus en main... La mort de moman m'ébranlait, c'est sûr, mais on l'attendait depuis longtemps pis je savais que j'arriverais à passer à travers... Ce soir-là, je revenais de chez elle... en paix. J'avais fait mon devoir, maman m'avait parlé, j'avais réussi à la tranquilliser, un peu, parce qu'a'l' avait ben peur d'la mort... C'est dur à expliquer... Quand j'ai monté l'escalier, j'étais quelqu'un de très précis... pis quand j'ai poussé la porte, chus devenue quelqu'un d'autre... J'ai été obligée de devenir quelqu'un d'autre en une seconde... parce que toute ma vie m'est tombée dessus tout d'un coup. T'sais, comme si j'étais entrée dans la vie de quelqu'un d'autre... pis en plus de quelqu'un que j'aurais pas voulu connaître. J'ai été obligée de sauter d'une vie dans une autre sans être préparée. Mon mari... mes enfants... avaient changé pendant que j'étais pas là. J'avais laissé une maison parfaitement paisible et heureuse pis j'atterrissais tout d'un coup dans une espèce... d'enfer... incompréhensible. J'ai même pas senti que tu me frappais. C'était pas moi, que tu frappais, c'était l'autre... la femme malheureuse que je connaissais pas... J'ai même pas été capable de t'haïr tu-suite tellement j'com-

64

prenais pas c'qui m'arrivait... (*Elle regarde Alex II.*) J'ai eu le temps de me reprendre, depuis ce temps-là, par exemple. Mais j'ai jamais eu l'occasion de te le dire... ou, plutôt, j'ai laissé les occasions passer sans en profiter... par... peur, probablement... J'ai peur de toi depuis ce jour-là, Alex... Mais c'est mon tour, aujourd'hui, de t'obliger de changer ton monde. Quand t'as poussé l'escalier, tout à l'heure, t'es rentré dans un autre monde. Comment tu te sens? (*Alex II ne répond pas. Madeleine II hausse les épaules et sort.*)

### ALEX I

Y'est rien arrivé pantoute. J'ai regardé le hockey, t'as braillé comme un veau parce que t'as toujours haï ça pis Mariette faisait la baboune parce que j'avais refusé qu'a'sorte... Pourquoi tu me demandes ça? Ça a pas un rapport avec le fait que j'vous ai déjà battus, là, toujours! J'ai pas plus frappé quelqu'un ce soir-là qu'un autre soir!

*Mariette I arrive en coup de vent.*

### MARIETTE I

Mon popa favori!

### ALEX I

Ma fille préférée!

*Ils se jettent dans les bras l'un de l'autre et s'embrassent. Claude est mal à l'aise.*

### ALEX I

T'arrives juste à temps, toé! Ton frère est en train de me faire subir un interrogatoire sur queque'chose qui s'est passé dans le temps de Notre Seigneur Jésus-Christ!

### MARIETTE I

C'est sa grande spécialité, ça, depuis quequ'-temps... Salut mon p'tit frère... Toujours le nez dans les bobos du passé? Y m'a pas lâchée, moi non plus, depuis cinq ou six semaines... T'sais qu'y'a une mémoire incroyable, hein! Y me contait des affaires, là, que j'avais oubliées depuis mon enfance!

### ALEX I

Ouan, pis j'pense qu'y'est en train de deve-nir dangereux, avec ça.

*Entre Mariette II qui est en train de fermer son parapluie. Elle aperçoit son père sur le sofa.*
*Elle s'appuie contre le chambranle de la porte.*

### MARIETTE II

Es-tu en train de faire ton examen de conscience?

*Alex II sursaute.*

### ALEX II

Tu m'as faite peur...

*Elle entre dans le salon, enlève son imperméable.*

### ALEX I

Pis toé, comment ça va, ma belle pitoune?

### MARIETTE I

A one! Fatiguée comme le yable parce que j'ai trop travaillé depuis quequ'temps, mais une bonne fatigue, là, t'sais, qui frise la satisfaction...

### ALEX I

Toujours la patte en l'air?

### MARIETTE I

C'est tout c'que j'sais faire! Ça pis des choses qu'on dit pas à son père...

*Ils rient.*

### MARIETTE II

Maman était ben inquiète, t'sais... Tu devrais l'appeler quand tu sais que tu vas retarder de deux-trois jours...

### ALEX II

Je le sais pas quand j'vas retarder...

### MARIETTE II

Ça coûte rien, un coup de téléphone...

### ALEX II

J'ai pas toujours envie de l'entendre se plaindre... J'ai l'impression de puncher quand j'appelle icitte! J'ai choisi un métier où j'étais libre de circuler parce que j'voulais pas m'encabaner dans une usine toute ma vie... Ta mère sait tout ça, j'y ai expliqué mille fois, a' devrait comprendre... J'tiens à ma liberté!

### ALEX I

J't'ai vue à la télévision, l'aut'soir... T'as ben faite de m'appeler pour m'avertir... J'te dis que ça en a faite baver quequ's'uns... Aïe, ma fille à la télévision... Y'en revenaient pas... pis moé non plus, tant qu'à ça... Pis on te voyait ben, à part de t'ça... On te voyait jamais longtemps, mais quand on te voyait on pouvait te reconnaître...

J'ai juste regretté une chose, c'est que la télévision en couleur soit pas encore arrivée.

### MARIETTE I

Ça a l'air qu'on va me voir encore plus, la prochaine fois... Aïe, t'sais que j'ai été une des premières danseuses à gogo de Montréal... J'en ai, de l'expérience! C'est moi qui montre aux autres comment faire...

### ALEX I

Pis tu te fais aller sur un temps rare! T'arais dû voir les gars, à l'hôtel Lapointe...

### MARIETTE I

Tu devrais voir les techniciens, dans le studio! On a tellement de fun, là... T'sais que si ça continue comme ça, j'vas pouvoir moins danser dans les clubs...

### MARIETTE II

En parlant de liberté... C'tait-tu un hasard, l'autre soir?

### ALEX II

L'autre soir...

### MARIETTE II

Popa, fais pas l'innocent! L'autre soir, au club Rancourt de Victoriaville!

### ALEX II

Ah! ça... ben oui, c'tait un hasard...

### ALEX I

Tu peux gagner ta vie juste à la télévision!

## MARIETTE I

Ben non, mais j'peux slaquer, un peu, à cause de la télévision... C'est pas facile, t'sais, monter dans'cage tou'es maudits soirs pis se faire aller pendant des heures... C'est pas une sortie que je fais de temps en temps pour me détendre... J'fais ça tous les soirs pour gagner ma vie! Pis rarement à'même place! J'tombe sur des endroits, des fois... tu me croirais pas, si j'te le contais...

## ALEX I

Mariette... Moé aussi, je voyage, hein?

## MARIETTE I

C'est vrai, tu dois en voir des pas pires, toi aussi... Mais t'as toujours été discret là-dessus... Tu nous a jamais tellement conté tes aventures sur les routes de la province de Québec... J'ai même l'impression qu'y'a du y'en avoir quequ'-s'unes de pas trop trop racontables... verrat comme que t'es...

## ALEX II

J'savais même pas que t'étais dans ce boute-là... Chus rentré là tout à fait par hasard...

## MARIETTE II

Pis tout à fait par hasard t'étais accompagné de six de tes amis commis voyageurs...

## ALEX II

Mariette... Le samedi soir, on se retrouve souvent en gang pour aller prendre un verre...

### MARIETTE I

Claude aurait pourtant ben aimé ça... Hein, mon Claude? En as-tu posé des questions, à maman, pour savoir c'que papa faisait de ses fins de semaines...

### ALEX II

On sait toutes à peu près dans quelle région retrouver les autres pis on se laisse des messages...

### CLAUDE

Ça t'intéressait pas de le savoir, toi?

### MARIETTE I

Oui. Mais j'achalais pas maman avec ça...

### MARIETTE II

Pis comme par hasard, une fois par mois vous tombez sur un hôtel oùsque chus!

### CLAUDE

Non, j'te soupçonne plutôt de t'être directement adressée à lui...

### MARIETTE I

R'garde le jaloux...

### CLAUDE

Chus pas jaloux!

### ALEX I

Laisse-lé donc tranquille, y'est pas dans son assiette, aujourd'hui... Occupe-toé pas de lui, y mord!

*Ils rient.*

### MARIETTE II

J'vas en profiter pendant qu'on est tu-seuls... J'voudrais te demander une chose... C'est gênant, papa, de danser sur un stage quand on sait que son père est là...

### ALEX II

C'est quand même pas du strip-tease que tu fais, Jésus-Christ!

### MARIETTE II

Vous criez plus fort que les autres, vous applaudissez plus fort que les autres... Ta gang est pas très très subtile, papa. Pis... j'sais pas... c'est malsain...

### ALEX II

Malsain! Que c'est qui est malsain!

### MARIETTE II

Papa, j'ai l'impression que tu me vends! T'es là que tu me suis de mois en mois avec ta gang de soûlons... Les gérants d'hôtel ont fini par vous appeler mon fan club... Une chance qu'y savent pas toutes que t'es mon père! Mets-toi à ma place! Chus là que j'me fais aller sur la scène pour faire danser le monde pis les encourager à boire pis j'sais que mon propre père est là en train de faire des farces plates avec une gang de porcs frais pour qui chus juste un morceau de viande!

### ALEX II

Fais-lé pas, ce métier-là, si t'es pas capable de l'assumer!

## MARIETTE II

Chus capable de l'assumer! Ça fait assez longtemps que j'le fais, là! Mais pas devant mon père! T'es pas capable de comprendre ça?

## MARIETTE I

De toute façon... Avant y'était juste jaloux, pis là y'a honte, en plus...

## CLAUDE

Bon... une autre affaire...

## MARIETTE I

Tu t'es certainement pas sacré devant la télévision, l'autre soir, pour regarder ta soeur go-go girl faire ses débuts!

## CLAUDE

Non, c'est vrai, mais ça veut pas dire que j'ai honte... Ça veut juste dire que ce genre d'émission-là m'intéresse pas... Pis j'la regarderai certainement pas juste parce que ma soeur fait une folle d'elle enfermée dans une cage à danser comme un singe dans une mini-jupe!

## MARIETTE II

J'vois vos yeux, t'sais... Les tiens autant que les leurs!

## CLAUDE

S'cuse-moi. J'ai l'air méprisant, là, mais j'pense pas c'que j'viens de dire...

## MARIETTE I

Oh! oui, tu le penses...

### ALEX II
Que c'est qu'y'ont, mes yeux...

### MARIETTE II
Y sont laids ! Comme ceux des autres !

### MARIETTE I
Chus habituée depuis toujours à tes petits airs supérieurs... Tu m'as toujours espionnée, pis t'as toujours interprété tout ce que je faisais pis tout ce que je disais... On te retrouvait toujours dans quequ'coin en train de sentir des affaires qui te regardaient pas, quand t'étais petit... On savait jamais au juste oùsque t'étais, t'étais toujours silencieux en arrière d'un gros fauteuil ou ben enfermé dans un garde-robe... T'as passé ton enfance à nous guetter ! Tu pouvais être des jours sans nous parler mais on savait que t'avais tout écouté c'qu'on avait dit, par exemple... (*Elle soupire d'exaspération.*) Ah ! pis j'sais pas pourquoi j'te dis tout ça, tout d'un coup... Chus pourtant arrivée ici de bonne humeur...

### ALEX I
Ben oui, détends-toé, un peu... Prends une p'tite bière avec moé... On s'est pas vus depuis des semaines...

### MARIETTE I
T'sais qu'y'est venu jusqu'à Shawinigan, hein, pour me poser des questions... J'sais pas quelle sorte de période de sa vie y passe mais y'est bizarre quequ'chose de rare... Y'voulait savoir c'qui s'était passé un soir que tu nous avais gardés quand grand-maman était mourante... Tu rappelles-tu de ça, toi ?

### ALEX I

'Coudonc, on revient toujours à ça, à soir! Ben oui, j'me rappelle de vous avoir gardés certain, j'étais pas habitué pis j'avais failli venir fou... Vous aviez été tannants comme douze... Pis toi tu t'étais pas endormie tant que j'étais pas resté dans ta chambre, assis sur ton lit à me tenir la main... Après avoir boudé pendant des heures parce que j'voulais pas que tu sortes, là tu voulais pus que j'te laisse... J'pense même que j'avais fini par m'endormir moi aussi... J'avais trop bu de bière...

### CLAUDE

C'est l'explication que tu nous avais donnée, oui...

### MARIETTE II

C'est pas une accusation que je porte, j'oserais pas... Mais quand t'as ben bu, pis quand t'as ben entendu de jokes sur mon compte... t'oublies pas, des fois, que chus ta fille?

### ALEX II

Que c'est que tu dis là!

### MARIETTE II

Après toute, tu l'avais ben oublié, une fois...

### CLAUDE

Pis on s'était toutes arrangés pour te croire...

*Alex I rit.*

### ALEX I

Jamais je croirai, Claude, que t'as déjà pensé...

## MARIETTE I
Mais t'es malade!

## ALEX II
Ben oui, je l'ai oublié, une fois! Ben oui!

## MARIETTE I
T'es malade dans'tête pis c'est vrai!

## ALEX II
Mais y s'est rien passé de grave... J'me sus repris à temps...

## MARIETTE II
C'est pas vrai, ça! Si Claude était pas arrivé juste au bon moment...

## ALEX I
Jésus-Christ! Tout ce temps-là t'as pensé une chose pareille de moé!

## CLAUDE
Vous vous tripotiez tellement, depuis quequ'temps...

## MARIETTE II
Tu me tripotais tellement, depuis quequ'-temps... Ah! on s'était toujours tripotés, ça...

## MARIETTE I
Ben oui, mais on était toujours comme ça, Claude... Toi aussi, papa te tripotait! Y faisait ça avec tout le monde... pis chus sûre qu'y continue encore même si y'a fini par nous laisser tranquilles... C't'un tripoteux, c't'un tripoteux, c'est toute! Faut pas en faire une maladie!

## MARIETTE II

Quand j'étais petite, c'est sûr que j'aimais ça... J'avais un père qui était différent des autres... En plus d'être comique, y'était affectueux! On était toujours en train de s'embrasser pis de se prendre les mains... Tu me disais des mots doux pis j'v'nais toute croche... J'te donnais des becs dans l'oreille pis tu me disais que ça te donnait des frissons jusque dans le bout des orteils...

## MARIETTE I

C'est vrai qu'y'a un temps où ça m'a gênée, mais...

## MARIETTE II

J'aimais ça, c'est sûr... T'étais comme le Père Noël... On te voyait presque jamais pis quand t'arrivais tu prenais une importance... exagérée. Tout changeait, dans'maison, tout tournait autour de toi... y'avait pus rien que toi qui comptais...

## MARIETTE I

T'en rappelles-tu, quand j'ai commencé à avoir des rondeurs... J'étais ben gênée de ça, j'essayais de le cacher mais ça avait fini par paraître... Pis quand t'étais revenu, c'te fois-là, tu t'étais pas gêné! Hé! que j'étais mal! Tu m'as sorti tou'es farces de commis voyageurs possible autour de c'te sujet-là pis j'voulais mourir! Aïe, j'avais même demandé à maman de m'acheter une grande jaquette de vieille fille pis j'me promenais là-dedans, dans'maison, en pensant que ça cachait toute... Faut-tu être naïve! En tout cas, j'te dis que j'm'étais pas laissé tripoter, c'te fois-là... Pis les fois suivantes non plus... Fini, les becs pis les caresses! J'laissais ça à Claude, qui en pro-

76

fitait pas mal, d'ailleurs, si j'me souviens bien... Moi, j'tais même pus capable de vous regarder en face tellement j'avais l'impression que les changements qui se faisaient en moi paraissaient à vue d'oeil...

*Elle rit.*

## MARIETTE I
Avec mes p'tites amies, j'en parlais franchement... mais avec vous autres... Même avec maman, c'était pas possible... J'tais devenue une grande fille un point c'est tout... À m'avait ben expliqué c'que ça voulait dire, le côté physique, tout ça... mais c'que ça changerait dans ma tête, ça, pas un mot! Quand je pense à ça, aujourd'hui... j'm'ennuie... de ce temps-là... même si j'étais ben malheureuse par boutes... J'aime ça savoir que j'ai déjà rougi de tout ça... J'm'ennuie de ma naïveté pis de mon ignorance... J'aimerais ça les retrouver, des fois.

## MARIETTE II
Ça a été moins drôle quand chus devenue une femme, par exemple... J'ai changé... pis t'as changé. Ta façon de me regarder s'est transformée peu à peu... Ah! tu continuais à être drôle pis à jouer au Père Noël mais y'avait quequ'chose de nouveau que je pouvais sentir pis qui me mettait mal à l'aise... Pour la première fois de ma vie y t'arrivait de me regarder longtemps sans rien me dire... Ça me donnait le frisson... Tes becs... étaient plus insistants... tes farces plus précises... tes compliments plus gênants. Maman avait commencé à te défendre de jouer trop longtemps avec moi... J'comprenais pas trop

pourquoi mais j'sentais qu'a'l' avait raison. Ça fait que tu te tiraillais avec Claude sans grande [scuffle] conviction. Tu t'es jamais tellement occupé de lui, hein? Des fois, on avait l'impression qu'y t'intéressait pas parce qu'y s'intéressait pas aux mêmes choses que toi... Tu riais même un peu de lui, avec ses livres pis ses émissions de télévision que tu trouvais niaiseuses... En tout cas, t'as continué de me tourner autour sans trop... t'approcher de moi... jusqu'à ce soir-là...

### ALEX II
J'veux pas parler de ces choses-là. C'est des choses qui sont réglées dans ma tête pis j'veux pas y revenir.

### MARIETTE II
D'abord qu'y sont réglées dans ta tête, le reste t'intéresse pas! Ça t'intéresse pas de savoir c'que ça m'a faite, à moi!

### MARIETTE I
Sais-tu quoi? Quand t'es venu te coucher à côté de moi, ce soir-là, ça réglé ben des choses... Je retrouvais mon vieux popa pis ça me faisait du bien. Le Père Noël était revenu.

### ALEX I
### (à *Claude*)
Tu vois?

### MARIETTE I
J'me sus sentie comme une p'tite fille pour la dernière fois de ma vie. Comme dans une transition. Pis, moi aussi j'ai dormi un p'tit peu, j'pense... Mais le senteux est arrivé! Les cris, les

78

larmes, le drame... Maman qui arrive en courant pis qui comprend pas trop ce qui est arrivé... On a dû réveiller la rue jusqu'au septième voisin, c'te nuit-là! La peur m'a repris, j'ai pleuré, moi aussi... pis tout a fini dans un épouvantable malentendu... (*À Claude:*) À cause de toi...

## MARIETTE II

Ton odeur de bière, pis tes yeux fous... J'te dis que le Père Noël était loin, hein? Peux-tu imaginer c'que c'est que d'être une p'tite fille pis de voir son père dans cet état-là? J'avais beau me dire que t'avais bu, que t'étais fâché contre moi parce que j'avais été tannante, que tu savais pas trop c'que tu faisais... y'a pas d'explications, pis y'a pas d'excuses à ça, papa! Ça coupe une vie en deux! Ça casse... quequ'chose à tout jamais! Ça a détruit tout c'que je pensais de toi... toute l'admiration... tout l'amour que j'avais pour toi. Tout d'un coup. J'ai vieilli tout d'un coup ce soir-là. Pis toi... t'es mort. Pis là Claude est arrivé, juste au bon moment, pis y'a faite sa crise... Probablement une sorte de crise de jalousie, mais en tout cas... ça m'a sauvée... physiquement... Parce que si y'était pas arrivé... Pis si maman était pas venue prendre notre défense... On t'a vu, toutes les deux, la frapper, papa, parce qu'a'l'avait deviné ce qui avait failli se passer! On t'a vu la frapper parce que toi t'avais failli faire quequ'chose de monstrueux! Au lieu de te punir toi, tu l'as punie, elle! C'est toujours les autres qui payent, hein? Plutôt que de te regarder en face, tu punis les autres! (*Elle s'approche très près de son père.*) Ben c'est tout ça que je retrouve quand tu viens me voir danser! Exactement la même impression! J'te vois, tu sais! Y fait pas assez clair sur le stage pour que j'vous voie pas, toi pis tes amis! Pis j'vois pas de différence entre leur façon de me regarder pis ta façon de me regarder! J'en vois pas! Mais que c'est que tu leur dis pour pas être gêné de ce que tu fais? Ou ben donc ça fait-tu partie du trip? Ça les excite-tu de savoir que tu vas voir danser ta fille dans des trous de province? Tu réponds pas. Tu veux vraiment pas en parler, hein?

### MARIETTE I
(*à Claude*)
On a-tu éclairé ta lanterne, là? Ta curiosité maladive est-tu satisfaite? C'que t'as pris pour quequ'chose de monstrueux, c'tait rien du tout...

### ALEX II
J'ai... traîné ça avec moé toute ma vie, Mariette... Toute ma vie! Si en plus y faut que j'en parle...

### MARIETTE II
Ça va peut-être te faire du bien.

### ALEX II
L'oubli  me fait du bien. Rien d'autre. Rien d'autre.

### MARIETTE II
Ben c'est ça, oublie-moi donc! Chus venue te demander... non, pas te demander... chus venue te dire de pus jamais venir me voir danser, papa, jamais! Entends-tu? Si tu mets le pied dans un cabaret où je danse j'fais quequ'chose que tu pourras jamais oublier! Après ça, tes amis porcs frais voudront pus rien savoir de toi! Tu

vas être marqué au fer rouge, comme un paria! Chus tannée d'avoir honte quand j'te vois rentrer où j'travaille, c'est toi, là, qui va avoir honte! Pis pour le reste de tes jours! (*Elle reprend son parapluie, son imperméable.*) Tu diras à maman que chus passée prendre mon parapluie pis que chus pas restée parce que mon taxi m'attendait...

*Elle sort.*

### ALEX II

J'ai pas d'ordres à recevoir de toé! Mes samedis soirs m'appartiennent pis j'en ferai ben c'que je voudrai! Vous viendrez pas ni une ni l'autre changer quoi que ce soit dans ma vie, okay!

*Il finit sa bière.*

### ALEX I

### (*à Claude*)

J'pense qu'en fin de compte, j'aurais dû te donner la bonne volée que tu méritais, ce soir-là... Ça t'aurait peut-être un peu secoué les méninges. Au lieu de te tricoter des mensonges, de t'inventer des histoires, pourquoi t'es pas venu me voir? T'aimais mieux ta propre version des choses, hein? C'est ça? C'tait tellement plus intéressant d'imaginer qu'y s'était passé de quoi! Pis de traîner ça pendant des années! Si c'est ça l'image que t'as de moé, mon p'tit gars...

### CLAUDE

Ça a toujours été pareil, ici-dedans. Tout ce qui se passe de grave finit toujours par pas avoir d'importance parce que vous voulez pas que ça en ait! Des versions détournées, comme ça, j'en ai tellement entendu! J'sais que j'peux rien contre vous autres, au fond... c'est peut-être pour ça que je fais d'autre chose avec c'qui s'est passé ici...

### MARIETTE I
Tu continues à penser que t'as raison?

### CLAUDE
Je le sais pas si j'ai raison. Mais j'cherche...

### ALEX I
Cherche donc moins, aussi! Peut-être que tout est ben plus simple que c'que t'as dans'tête...

### CLAUDE
Peut-être que tout est ben plus compliqué que c'que vous voulez admettre!

### ALEX II
Pourquoi tout est compliqué comme ça?

*Mariette I s'approche de son frère.*

### MARIETTE I
Complique-toi la vie si tu veux, mais laisse-nous en dehors de ça. Tout le monde. S'il vous plaît. Va sentir ailleurs, peut-être que ça sent plus mauvais, comme t'aime... Ici... ça sent juste ordinaire... C'est pas intéressant... On n'est pas assez intéressant pour toi, Claude... On n'est pas assez malsain pour t'intéresser...

*Elle sort.*

### ALEX II
C'tait si simple comme c'était! Si simple!

Quand j'étais petit, ma mère disait toujours: «Tout se sait, tout se paye.» J'ai tellement ri d'elle! Pis j'ai tellement toujours toute faite pour prouver qu'a'l' avait tort! J'ai patiné toute ma vie pour garder ma liberté pis j'veux pas la perdre! J'veux pas payer en retard pour des vieilles affaires! Pis j'payerai pas! J'payerai pas! Y vont m'endurer comme chus même si ça fait pas leur affaire! Qui c'est qui est le boss, icitte? Hein? J'me laisserai pas mener par le bout du nez par une hystérique qui sait pus c'qu'a' dit pis une danseuse à gogo qui veut pas que le monde aille la voir danser! J'vas aller la voir danser tant que j'veux! A' veut montrer sa peau, qu'a' la montre! C'est bon pour mes affaires! Mes chums m'envient pis mes clients m'envient! Pis j'penserai c'que je voudrai en la regardant, à part de t'ça!

*Il boit.*

### ALEX II

T'élèves un enfant... une poupée que t'adores pis que tu peux tripoter tant que tu veux... Des becs sur les fesses, sur le ventre, des becs mouillés sur la bouche, des caresses, pendant des années... Pendant des années, tu peux y faire tout c'que tu veux, c'est juste un jeu, c'est juste pour le fun, c'est popa pis sa p'tite fille qui s'amusent... Tu vois ben qu'a'grandit, des fois tellement vite que ça finit par t'inquiéter, mais c'est toujours pas grave, c'est toujours rien que ton bébé, ton p'tit bébé à toé que tu continues à lancer dans les airs en faisant semblant que tu la rattraperas pas pour y faire peur, pis pour que ses caresses soient plus intenses... Pis un bon jour... La conspiration commence... La conspiration des femmes... Ça commence par des chuchotements dans les coins... T'as l'impression qu'y parlent dans ton dos... Qu'y te cachent quequ'-chose... quequ'chose que tu devrais savoir mais qu'y veulent pas te dire... Pis ton p'tit bébé est moins collant, aussi... Y commence à avoir des pudeurs, les joues y rougissent plus facilement... Toé, tu veux continuer à jouer mais elle, ton bébé qui change à vue d'oeil, a'l' hésite, a' se défile, a' trouve des excuses pour pus trop s'approcher de toé... Ça ressemble quasiment à une peine d'amour, sacrement! Tu penses qu'a' veut pus rien savoir de toé parce que tu y'as faite quequ'chose, mais tu sais pas quoi! Pis une bonne fois... T'avais réussi à la coincer dans le sofa du salon... C'tait la première fois depuis longtemps pis t'étais tellement content! Après deux ou trois becs qui ressemblaient pas mal à ceux d'avant, tu sens... toi-même pour la première fois... tu sens qu'y'a quequ'chose de changé... Pas rien que dans ses yeux... Son corps... Sous sa blouse... Pis tu comprends toute! La conspiration! A'l' a peur de toé probablement parce que sa mère y'a mis dans' tête que parce qu'est-tait devenue une femme a' pouvait pus toucher à son père! C'est elles! c'est elles qui te mettent ça dans'tête! Toé, tu voulais juste que ton enfant reste une enfant mais y te mettent dans la tête que c'est pus ça, pis que si tu voulais... Ben je l'ai voulu! C'est ben de valeur, mais je l'ai voulu! Pis... J'le veux encore!

*Il finit sa bière.*

84

### ALEX II

J'ai soif... J'ai soif! J'veux une bière! J'veux qu'on me serve une bière! Chus dans ma maison, c'est moi qui l'a payée, c'est moé qui a toute payé, icitte, toute m'appartient, pis j'veux une bière!

*Entre Madeleine I.*

### MADELEINE I

C'est prêt. On peut passer à table. Mais j'voudrais parler à Claude, avant. (*À Alex I:*) Va t'asseoir, Mariette est déjà installée... J'vas aller vous rejoindre.

*Ils sortent.*

### ALEX II

J'veux une bière!

*Madeleine sursaute.*
*Silence.*
*Madeleine II entre dans le salon.*
*Elle tient la valise d'Alex II d'une main et une bière de l'autre.*

### MADELEINE II

Tiens, la v'là. Ta bière. Mais c'est la dernière. Pis ça me fait plaisir de te la servir, à part de t'ça.

### ALEX II

Comment ça, la dernière?

### MADELEINE II

Fais pas l'innocent. Ça sert à rien que tu restes ici à soir, hein? La journée risquerait de finir trop mal. Rien que de penser que t'es dans la maison me fait mal, Alex.

*Madeleine I prend le manuscrit de Claude, le lui tend.*

### MADELEINE I

Reste pas à souper avec nous autres, à soir... J'te mets pas à la porte, j'te demande de pas rester à souper... J'aurais l'impression que tu nous espionnes, encore, pis j's'rais pas capable de rien dire, pis j'guetterais tout ce que ton père dirait... J'ai peur de pus jamais pouvoir être naturelle avec toi, Claude... (*Elle se dirige vers la porte de la cuisine.*) Attends que j'te rappelle avant de me donner de tes nouvelles.

*Elle sort.*

### ALEX II

Tu penses que tu peux me mettre à' porte?

### MADELEINE II

J'le pense pis j'le fais. J'ai fini. J'ai fini d'endurer, pis de ravaler, pis de me déchirer les intérieurs... de me dire que j'ai tort de penser c'que j'pense de toi, qu'au fond t'es un bon gars pas trop intelligent pis pas très responsable... Chus fatiguée. J'en ai assez. Si tu pars pas, c'est moi qui va partir...

### ALEX II

Tu partiras pas. Pis moi non plus. Tout va rester comme avant, okay?

### MADELEINE II

Fais attention, Alex. J'ai toujours été douce,

pis compréhensive, mais y'a tout un côté de moi que tu connais pas encore. Tout le monde a ses petits côtés d'ombre, tu sais, y'a pas rien que toi qui es capable de tromper les autres. Pis fais attention à ce que tu connais pas de moi.

### ALEX II

Des menaces?

### MADELEINE II

Oui, j'suppose qu'on peut appeler ça comme ça. Ça me soulage d'être capable de te faire des menaces, Alex! J'commence à deviner un brin de doute dans le fond de tes yeux pis ça me fait du bien. J'pense que tu commences à avoir un p'tit peu peur pour vrai... Ta vision est en train de changer, hein? L'image est plus floue qu'a'l'était... Ben c'que tu vois là c'est rien à côté de ce que j'pourrais devenir si j'me laisse aller! J'ai vingt-cinq ans de frustrations en dedans de moi, Alex, pis j'te souhaite pas que ça sorte tout d'un coup! T'es ben mieux, oui, t'es ben mieux d'aller te louer une chambre à l'hôtel, à soir... Ça va t'éviter... des paroles d'une incroyable cruauté, des surprises très désagréables, des insultes très difficiles à supporter. Mais si tu veux, si t'insistes, si tu choisis de rester, chus prête à te faire face pis à tout te dire. Tout. Chus capable d'une très grande chose, à soir, Alex, pis chus capable aussi de te l'épargner. J'te donne le temps de choisir... le temps d'une bière qui, de toute façon, va être la dernière. Quand j'vas revenir, tout à l'heure, si t'es encore là, fais ben attention à toi.

*On entend le troisième mouvement de la cinquième symphonie de Mendelsohn.*

*Madeleine II s'approche lentement de Claude et lui tapote l'épaule comme s'il était un bon garçon.*
*Elle sort à son tour.*
*Claude et Alex II restent seuls en scène.*
*Alex II met sa tête dans ses mains.*
*Claude serre son manuscrit contre lui.*

### ALEX II
(*se redressant*)

Si y me reste rien, y te restera rien à toé non plus.

*Il brise, très froidement, les bibelots du salon et renverse quelques meubles. Il sort.*

*Alex I entre lentement, s'approche de Claude, lui prend le manuscrit des mains.*

### ALEX I

C'est-tu le seul texte que t'as ou ben donc si t'en as des copies?

### CLAUDE

C'est le seul que j'ai.

### ALEX I

C'est pas prudent.

### CLAUDE

Je le sais. Mais j'ai pas eu le temps. Y'a une de mes amies qui est supposée me prêter des stencils... J'ai pas rien que ça à faire, t'sais, j'ai un métier, faut que je gagne ma vie, moi aussi... J'ai écrit ça à temps perdu, entre deux jobs, au travail; sur le coin du bureau de mon patron quand y'était pas là; le soir, chez nous, au lieu de sortir... les fins de semaines...

### ALEX I
Un hobby, quoi...

### CLAUDE
(*brusquement*)
C'est beaucoup plus qu'un hobby, pis tu le sais très bien!

### ALEX I
Non, j'le sais pas très bien. Y'a pas grand chose de toi que je sais très bien...

*Il feuillette le manuscrit.*

### CLAUDE
Y'a pas grand chose de moi qui t'a jamais intéressé...

### ALEX I
Tu te répètes...

### CLAUDE
Peut-être pas assez...

### ALEX I
Comme ça, si je le déchirais, là, tu-suite, si j'mettais le feu dedans, c'est une chose qui disparaîtrait complètement... À l'existerait pus...

*Claude le regarde quelques secondes.*

### CLAUDE
Essayes-tu de me faire peur?

### ALEX I

Oui. Y me semble que si j'étais toé j'aurais peur. Un père fou qui veut pas que son méchant fils parle de lui dans ses «oeuvres»...

### CLAUDE

Tant que tu te moqueras de moi, je sais que tu feras rien de dangereux...

*Alex I lance le manuscrit dans les airs. Les feuillets s'éparpillent un peu partout dans la pièce. Claude ne réagit pas.*

### ALEX I

As-tu un peu plus peur, là?

### CLAUDE

Non.

*Alex prend un feuillet au hasard.*

### ALEX I

«Alex: Que c'est que j'vas faire? J'peux pas les laisser me jouer dans le dos comme ça... Sont toutes pareilles, hein, y finissent toujours par t'acculer dans un coin!» De quoi je parle, là? Des femmes en général? De ta mère pis de ta soeur en particulier?

*Il froisse le feuillet, le jette à l'autre bout de la pièce.*

### ALEX I

De toute façon, t'as pas le droit de te servir de mon nom.

### CLAUDE

J'ai déjà parlé de tout ça avec moman... J'vas

les changer, les noms...

### ALEX I
Ça a toujours été ça, le problème... T'en avais toujours parlé avec ta mère...

### CLAUDE
T'étais jamais là...

### ALEX I
Tu me ressortiras pas le club juvénile de la police, hein? Vous me jouiez dans le dos pour des affaires plus importantes que ça!

*Il s'approche de Claude, s'asseoit à côté de lui sur le sofa.*

### ALEX I
Envoye, shoot. C'est le temps, là. Sors toute c'que t'as contre moé, j'écoute. À moins que t'ayes encore une fois toute réglé avec ta mère... J'ai pas osé écouter c'que vous disiez, tout à l'heure, mais j'aurais peut-être dû le faire... Mais tu vois, y'en existe un défaut que j'ai pas : j'écoute pas aux portes! Ça doit te désappointer vrai! Envoye, j'ai pus pantoute le goût de lire ta grande littérature, j'aurais trop peur que ça me donne mal au coeur, ça fait que conte-moé tout ça, qu'on rie, un peu...

### CLAUDE
T'as toujours été bon pour désamorcer les conversations importantes... T'as l'air de déjà prendre à la légère tout c'qu'on va dire, comment veux-tu qu'on se parle sérieusement...

*Alex I saute presque sur son fils, le prend par le collet.*

### ALEX I

J'prends rien de tout ça à la légère pantoute, okay?

*Ils se regardent quelques secondes.*
*Alex s'éloigne de Claude.*

### ALEX I

Aimes-tu mieux ça de même? La brute plutôt que le comique? T'as dû toujours me voir comme ça, de toute façon... Penses-tu vraiment que j'ai besoin de tout lire ça pour savoir c'que tu penses de moé? Voyons donc! Au lieu de te déchirer la peau du coeur à écrire des insanités sur mon compte, si t'avais vraiment besoin d'une thérapie, pourquoi t'es pas venu me voir dans une de mes tournées? Un week-end ensemble enfermés dans une chambre de Saint-Jérôme, mon p'tit gars, pis on aurait réglé tout ça... depuis longtemps, à part de t'ça...

### CLAUDE

C'est là que tu te trompes... T'aurais réglé ton côté des choses, un point c'est tout! Comme d'habitude. T'aurais fait un show non stop de deux jours, un monologue interminable très réussi, relativement drôle et complètement concentré sur toi-même... Tu te serais même pas rendu compte que j'étais là... Te rends-tu compte, des fois, qu'y'a quelqu'un devant toi quand tu parles? Ça t'arrive-tu de répondre à une question ou d'attendre la réponse à une des tiennes? C'est pas des conversations que t'as, c'est des monologues de haute voltige! Êtes-vous toutes pareils, dans ta gang? Faites-vous toutes des monologues sans vous écouter les uns les autres? Quand vous vous retrouvez, là, justement, à Saint-Jérôme ou ailleurs, parlez-vous toutes en même temps sans vous écouter?

### ALEX I
Où c'est que tu vas chercher tout ça?... T'es jamais venu, à Saint-Jérôme, ça t'a jamais intéressé, comment peux-tu deviner pis juger ce qui se passe là!

*Claude ramasse quelques feuillets qu'il vient agiter sous le nez de son père.*

### CLAUDE
Sais-tu ça fait combien de temps que je prépare ça? Combien d'années? Avec mon imagination, justement, avec c'que je pense deviner de toi? Le sais-tu que c'est à cause de toi que j'ai commencé à écrire? Pis parce que t'as toujours agi avec nous autres comme si t'avais été sourd? Les premières fois que j'ai pris un crayon pis un papier, j'avais peut-être onze ou douze ans, c'était pour te parler parce que t'étais pas parlable, pour te dire que je t'aimais parce que j'aurais probablement eu une claque su'a' yeule si j'avais osé te le dire pour vrai... Y'avait tellement de choses dont y fallait pas parler, dans c'te maison-là, que j'me jetais sur le papier avant d'étouffer! C'était mon exutoire pis ça me faisait aussi de bien que mes premières masturbations! Pis j'me sentais aussi coupable, après, parce que ça avait encore plus un goût de défendu! «Défense absolue de parler à son père sous peine

93

de péché mortel, irrémédiable et irréparable!»
J'peinais pendant des heures pour faire de toi un
portrait idyllique, j'te décrivais comme j'aurais
voulu que tu sois... présent! Aussi comique, aussi
gris-pet, mais PRÉSENT! J'm'arrachais pas la peau
du coeur pantoute, dans ce temps-là, au contraire... c'que j'écrivais m'exaltait tellement que
j'venais au bord de l'évanouissement! J'ai découvert... l'exaltation de l'écriture à travers des
déclarations d'amour que je faisais à mon père
qui voulait rien savoir de moi!

### ALEX I
J'ai oublié mes cigarettes dans'cuisine, moé...

### CLAUDE
Tu vois que tu veux pas écouter! Même
quand c'est toi qui le demandes!

### ALEX I
Tu recommences comme quand t'étais p'tit...
Tu recommences comme quand t'étais p'tit! Tu
colles pis tu dis des affaires qu'on veut pas
entendre!

### CLAUDE
Quelles affaires? Quelles affaires, au juste?
Nomme-les! Essaye de les nommer, pour une
fois!

### ALEX I
Les sentiments! Les sentiments! J'ai toujours
couru en avant de toé, j'me sus toujours sauvé
de toé parce qu'on en venait toujours là!

### CLAUDE
Mais pourquoi y fallait pas en venir là?

Qu'est-ce qui nous défendait d'en venir là?
Y'avait-tu un règlement, une loi? (*Alex I fait le
geste de se lever.*) Sauve-toi pas. Pour une fois,
s'il vous plaît, sauve-toi pas...

ALEX I

Chus comme ça, c'est toute... J'ai jamais parlé
de mes sentiments... à personne... j'commencerai
pas aujourd'hui. (*Il regarde son fils dans les
yeux.*) T'aurais pus deviner, y me semble, qu'en
arrière du gros comique, en arrière des grosses
jokes de commis voyageur, y'en avait des sentiments! C'est pas parce qu'y sont pas exprimés
qu'y sont pas là! Mais quand ça sort pas, ça sort
pas, c'est toute, faut pas en faire un drame!

CLAUDE

On peut pas construire une enfance sur des
devinettes! Pis du silence! On se rendait souvent tout près des aveux, papa, mais ça venait
jamais! On se tiraillait en masse, ah! oui, ça, ça
manquait pas, on se chatouillait, on s'épuisait à
courir dans'maison, à se cacher, à se trouver,
mais quand on était ben essoufflés pis qu'on se
regardait dans les yeux comme on se regarde
maintenant, quand quequ'chose de vraiment
important se préparait...

ALEX I

J'peux pas, j'peux pas, c'est toute! Demande-
moé-lé pas plus aujourd'hui!

CLAUDE

J'te le demande pas! Aie pas peur! Ça fait
longtemps que j'te demande pus rien. (*Il prend
un feuillet.*) J't'explique juste pourquoi «ça»

95

existe! Quand tu peux pas parler, y faut que les choses sortent d'une façon ou d'une autre.

## ALEX I

Ah! là on arrive à quequ'chose d'important! Parlons-en de la façon que ça sort! Tu disais tout à l'heure que quand t'étais petit tu faisais de moi un portrait idyllique... J'me doute un peu que «ça», comme tu dis, c'est pas idyllique pantoute! Ton portrait de moé a changé, en dix ans, hein? J'me doute un peu que c'est pus pantoute «popa je t'aime, mon beau popa»!

## CLAUDE

La conscience vient avec l'âge, imagine-toi donc!

## ALEX I

La conscience! De quoi! Chus pas devenu un monstre entre 1955 pis 1965!

## CLAUDE

Non, c'est vrai, t'as pas beaucoup changé. J'dirais même que ça doit pas être normal pour un être humain de pas évoluer plus que ça sur une période de dix ans.

## ALEX I

Tiens... encore le mépris.

## CLAUDE

Ah! oui... le mépris. Le v'là, le vrai mot. Chus passé de l'admiration béate au plus profond des mépris... petit à petit, étape par étape, je dirais... Quand t'es un enfant pis que *tu veux* admirer quelqu'un, y'a pas un défaut, y'a pas une tare, y'a pas un vice qui peut obscurcir ton entêtement à admirer... Un héros est un héros une fois pour toutes! C'est irrémédiable pis tellement enthousiasmant! Pis tellement nourrissant! Pis en vieillissant... tu changes, c'est sûr... Tu voulais changer, aussi, mais pour y ressembler, à lui, ton héros parfait qui t'avait aidé à passer à travers les difficultés de l'enfance, pis les incertitudes du début de l'adolescence... mais le héros, lui, y reste pareil sur son piédestal... quelle tristesse! Ton enfance pis ton héros s'effritent en même temps. Tu découvres au même moment les faiblesses de ton héros et la grande naïveté de ton enfance... Tu veux mourir de honte... d'avoir été trompé. (*Silence.*) T'évolues en regardant grossir les défauts de fabrication de ton héros qui finit par sombrer dans le grotesque, pis tu te dis: c'est ça que j'admirais? Pis en plus on dit qu'on a les héros qu'on mérite? (*Silence.*) J'espère que personne t'a jamais mérité. (*Il ramasse encore quelques feuillets.*) J'ai vraiment mis là-dedans tout le mépris que je ressens pour toi. Tout... le mépris. Y'a pas d'autre mot. Toute ta veulerie est là. Toute ta paresse intellectuelle. Ton épouvantable paresse intellectuelle. J'pense que tu sais même pas que l'intelligence existe pis qu'on peut s'en servir. Tu t'es jamais intéressé à rien dans toute ta vie! Pis à personne. T'as été parfaitement égoïste pis égocentrique. C'est même pas de la méchanceté... c'est de l'inconscience égoïste... On peut pas t'en vouloir d'être méchant, tu l'es même pas! Pour être méchant, faut être conscient, faut se servir de son intelligence! C'est pour ça que t'es inatteignable! On peut pas te grafigner, les ongles des autres existent pas pour toi! Tu fais tout en fonction de toi, pis que les autres se débrouillent avec leurs problèmes... pis les tiens par la même occasion! Quand j'ai compris, par exemple, que madame Cantin de Sorel était pas plus importante que nous autres pis que nous autres non plus on n'était pas plus importants qu'elle pis son enfant, toute ma jalousie a disparu... Dieu sait que j'avais été jaloux malgré mon âge... Aie, une deuxième famille, des rivales! Des voleuses! Même si t'étais jamais là j'étais quand même jaloux qu'on te vole! R'garde-moi pas comme ça, on connaît tous l'existence de madame Cantin, dans'maison, même si on n'en a jamais parlé... C'est ça la belle complicité des familles... Ben j'ai compris à ce moment-là à quel point les êtres humains sont pas importants pour toi... T'es totalement irresponsable... Tout ce qui compte, c'est la bière du samedi soir, les poupounes, la petite mort sur un lit de motel mal entretenu, les jokes, les jokes, papa, tout ce qui est important pour toi, c'est les jokes! Pis ça c'est méprisable! T'as évolué juste dans tes jokes! T'es devenu un grand, un très grand conteur de jokes cochonnes, un point c'est tout, parce que rien d'autre t'intéressait dans la vie, c'est-tu assez triste à ton goût! Aucune curiosité! Aucun questionnement! Rien! T'as sillonné les routes du Québec pendant toute ta vie en te bâtissant un invraisemblable répertoire d'histoires cochonnes sans jamais te poser une seule question! T'as soulevé des tonnes de poussière avec des générations de voitures sur des routes qui étaient pas encore asphaltées, c'est tout c'que t'as fait de ta vie! Comment veux-tu que j'te crucifie pas avec mon mépris? Pis dans ma pièce, j'ai mis tout ce mépris-là dans le personnage de maman... C'est maman qui te dit tout c'que j'pense de toi parce que c'est elle qui

98

a probablement le plus souffert de ce que t'étais. (*Ironique:*) J'ai fait ce qu'on appelle... un transfert. C'est ça mon rôle... j'pense. De faire dire aux autres c'qu'y sont pas capables de dire pis ce que chus pas capable de dire moi non plus. Mais chus pus sûr. Après ce soir chus pus sûr. Chus pus sûr d'avoir le droit de devenir écrivain. Maintenant, j'ai peur de devenir aussi manipulateur que toi. J'ai peur de devenir un conteur de jokes, moi aussi. De donner naissance à un répertoire de jokes de plus en plus plates pis, surtout, de plus en plus insignifiantes. Déchirelà, ma pièce, si tu veux, papa, mets le feu dedans, c'est plein de... (*Silence.*) Mensonges. J'ai essayé, à travers des mensonges, de dire ce qui était vrai. Pis j'pense que j'ai réussi jusqu'à un certain point parce que j'pense que c'que j'ai écrit est bon. Mais à quoi ça sert. À quoi ça sert, papa, si j'peux pas me rendre jusqu'à ton coeur? À quoi ça sert si tu refuses d'admettre que t'en as un? R'garde, le mien est éparpillé partout, pis tu peux le piétiner tant que tu voudras.

*Il se dirige vers la porte. Il se retourne avant de sortir.*


### CLAUDE

Si j'étais pas arrivé, ce soir-là, papa, je le sais que tu l'aurais violée, Mariette, pis que ça serait devenu un sujet tabou dans'maison, comme madame Cantin. On aurait tous été... complices, une fois de plus. Si personne te dénonce, que c'est qu'on va devenir, tout le monde?

*Il sort.*

## ALEX I

*(ironique)*

R'mercie-moé avant de partir! Si c'est vrai que c'est à moé que tu le dois, ton beau talent d'écrivain! Calvaire de p'tit intellectuel! C'est toujours ça que vous avez pensé de nous autres, hein, toé pis ta gang!

*Alex I prend quelques feuillets et commence à les brûler un à un.*

## Noir

# DU MÊME AUTEUR

## ROMANS, RÉCITS ET CONTES

*Contes pour buveurs attardés*, Éditions du Jour, 1966; BQ, 1996
*La cité dans l'œuf*, Éditions du Jour, 1969; BQ, 1997
*C't'à ton tour, Laura Cadieux*, Éditions du Jour, 1973; BQ, 1997
*Le cœur découvert*, Leméac, 1986; Babel, 1995
*Les vues animées*, Leméac, 1990; Babel, 1999
*Douze coups de théâtre*, Leméac, 1992; Babel, 1997
*Le cœur éclaté*, Leméac, 1993; Babel, 1995
*Un ange cornu avec des ailes de tôle*, Leméac/Actes Sud, 1994; Babel, 1996
*La nuit des princes charmants*, Leméac/Actes Sud, 1995; Babel, 2000
*Quarante-quatre minutes, quarante-quatre secondes*, Leméac/Actes Sud, 1997
*Hotel Bristol, New York, N.Y.*, Leméac/Actes Sud, 1999
*L'homme qui entendait siffler une bouilloire*, Leméac/Actes Sud, 2001
*Bonbons assortis*, Leméac/Actes Sud, 2002
*Le cahier noir*, Leméac/Actes Sud, 2003
*Le cahier rouge*, Leméac/Actes Sud, 2004
*Le cahier bleu*, Leméac/Actes Sud, 2005
*Le gay savoir*, Leméac/Actes Sud, coll. « Thesaurus », 2005
*Le trou dans le mur*, Leméac/Actes Sud, 2006

## CHRONIQUES DU PLATEAU-MONT-ROYAL

*La grosse femme d'à côté est enceinte*, Leméac, 1978; Babel, 1995
*Thérèse et Pierrette à l'école des Saints-Anges*, Leméac, 1980; Grasset, 1983; Babel, 1995
*La duchesse et le roturier*, Leméac, 1982; Grasset, 1984; BQ, 1992
*Des nouvelles d'Édouard*, Leméac, 1984; Babel, 1997
*Le premier quartier de la lune*, Leméac, 1989; Babel, 1999
*Un objet de beauté*, Leméac/Actes Sud, 1997
*Chroniques du Plateau-Mont-Royal*, Leméac/Actes Sud, coll. « Thesaurus », 2000

## THÉÂTRE

*En pièces détachées,* Leméac, 1970
*Trois petits tours,* Leméac, 1971
*À toi, pour toujours, ta Marie-Lou,* Leméac, 1971
*Les belles-sœurs,* Leméac, 1972
*Demain matin, Montréal m'attend,* Leméac, 1972; 1995
*Hosanna* suivi de *La Duchesse de Langeais,* Leméac, 1973; 1984
*Bonjour, là, bonjour,* Leméac, 1974
*Les héros de mon enfance,* Leméac, 1976
*Sainte Carmen de la Main,* Leméac, 1976
*Damnée Manon, sacrée Sandra* suivi de *Surprise! Surprise!,* Leméac, 1977
*L'impromptu d'Outremont,* Leméac, 1980
*Les anciennes odeurs,* Leméac, 1981
*Albertine en cinq temps,* Leméac, 1984
*Nelligan,* Leméac, 1990
*La maison suspendue,* Leméac, 1990
*Le train,* Leméac, 1990
*Théâtre I,* Leméac/Actes Sud-Papiers, 1991
*Marcel poursuivi par les chiens,* Leméac, 1992
*En circuit fermé,* Leméac, 1994
*Messe solennelle pour une pleine lune d'été,* Leméac, 1996
*Encore une fois, si vous permettez,* Leméac, 1998
*L'état des lieux,* Leméac, 2002
*Le passé antérieur,* Leméac, 2003
*Le cœur découvert – scénario,* Leméac, 2003
*L'impératif présent,* Leméac, 2003
*Bonbons assortis au théâtre,* Leméac, 2006
*Théâtre II,* Leméac/Actes Sud-Papiers, 2006

ACHEVÉ D'IMPRIMER
EN JUIN 2011
SUR LES PRESSES
DE MARQUIS IMPRIMEUR
POUR LE COMPTE DE
LEMÉAC ÉDITEUR,
MONTRÉAL

DÉPÔT LÉGAL
1re ÉDITION: 1er TRIMESTRE 1989
(ÉD. 01/ IMP. 21)